A incrível CIÊNCIA das VENDAS

Os erros que as empresas cometem na gestão de equipes comerciais e as comprovações científicas de como corrigi-los

LUIZ GAZIRI

1ª ed

Editora Leader

São Paulo, 2016

Copyright© 2016 by Editora Leader
Todos os direitos da primeira edição são reservados à **Editora Leader**

Diretora de projetos
Andréia Roma

Projeto gráfico e diagramação
Roberta Regato

Capa
XOK Publicidade

Ilustrações
Katerina Pochepova

Revisão
Miriam Franco Novaes

Consultora de projetos
Érica Ribeiro Rodrigues

Gerente Comercial
Liliana Araujo Moraes

Dados Internacionais de Catalogação na Publicação (CIP)
(Bibliotecária responsável: Aline Graziele Benitez CRB8/9922)

G254L   Gaziri, Luiz
           A incrível ciência das vendas / Luiz Gaziri. –
1.ed. – São Paulo: Leader, 2016.

           ISBN: 978-85-66248-57-9

           1.Comércio - vendas. 2. Cliente. 3.Equipe. 4. Marketing. 5. Gestão comercial. I. Título.

CDD 381.1

Índice para catálogo sistemático: 1. Comércio: vendas 381.1

EDITORA LEADER
Rua Nuto Santana, 65, 2º andar, sala 3
Cep: 02970-000, Jardim São José, São Paulo - SP
(11) 3991-6136 / andreiaroma@editoraleader.com.br

Para Mariana, Leonardo e Victoria

AGRADECIMENTOS

Este livro nunca teria sido escrito sem o apoio de diversas pessoas. Em primeiro lugar, agradeço pelo apoio incondicional que tive da minha inigualável esposa, Mariana. A escolha que fizemos nas nossas vidas de abrir mão do mundo corporativo para seguir as nossas paixões foi, ao mesmo tempo, a mais difícil e a mais prazerosa das opções. A Mariana nunca me deixou desistir deste meu sonho e sempre me incentivou a persegui-lo. Sem o apoio dela, eu poderia estar limitado a viver uma vida corporativa cheia de dinheiro, mas vazia de felicidade. A Mariana é o grande amor da minha vida e foi ela a responsável pelo maior processo de crescimento pessoal que tive na vida. No caminho dos nossos sonhos, vieram nossos maravilhosos filhos, Leonardo e Victoria, que são nossas inspirações diárias para construir um mundo cada vez melhor. Espero que, ao chegar a hora de os meus filhos trabalharem, eu possa ter contribuído para a construção de ambientes de trabalho melhores, para que eles e muitas outras pessoas sejam muito mais felizes e realizados, tanto profissionalmente quanto pessoalmente.

Gostaria também de agradecer imensamente pelo apoio que tive dos meus maravilhosos pais, Juarez e Maria Aparecida. Sem o investimento pesado que eles fizeram para que eu pudesse fazer um intercâmbio nos Estados Unidos, eu teria tido muito mais dificuldade para falar inglês e, assim, só com muito mais dificuldade iria conseguir ler todos os artigos científicos que fizeram parte deste livro. Além disso, eles sempre se empenharam para que eu estudasse em excelentes escolas e me educaram com muito carinho e me ensinaram lições preciosas, ajudando-me a ser grande parte de quem eu sou. Obrigado, pai e mãe, eu amo muito vocês!

Minha jornada no mundo corporativo nunca teria começado se não fosse por causa do meu irmão Marcel, empreendedor nato, que me convenceu a cursar administração de empresas e que me proporcionou uma primeira oportunidade de emprego. Meu irmão é, e sempre será, uma grande inspiração. Poucas pessoas podem contar com os conselhos de alguém que já trabalhou como professor, engenheiro, administrador, inventor, consultor, dono de bar, corretor de seguros, dono de academia e que hoje é um campeão de squash. Eu não sei qual será a próxima empreitada do Marcel, mas sei que ela será um sucesso.

Meus queridos sogros, José Luiz e Rita, merecem enorme gratidão. Sempre dispostos a nos incentivar, ajudar, cuidar, conversar, aconselhar e educar, meus sogros são parte fundamental na construção da felicidade da nossa família. Além de tudo isto, meu sogro José Luiz ainda me auxiliou na revisão ortográfica deste livro.

Devo imensa gratidão à minha linda e querida irmã Letícia (Chucks, a melhor tia do mundo), à minha inigualável avó Nazira, às minhas cunhadas Angela, Carolina e Kátia, aos meus concunhados Rafael e Paulo, bem como aos meus amados sobrinhos Nicolas, Maria Fernanda, Carolina, Lucas, Tiago, André, Alexandre e Clara, que trazem constante alegria para a minha vida. A família é, sem dúvida, o bem mais precioso que qualquer pessoa pode ter.

Uma pessoa fantástica, que certamente é a principal responsável por eu ter tomado coragem de começar minha empresa de treinamentos, é a querida Hannah Greenwood, minha coach na London Business School. Quando Hannah me perguntou "What makes your heart sing?" (O que faz seu coração cantar?), foi o momento em que eu descobri o meu verdadeiro propósito na vida: conseguir ajudar o máximo possível de pessoas através da Ciência - seja através dos ensinamentos dos meus treinamentos ou com parte dos recursos que arrecado por meio deles, e que destino para projetos sociais em diversos países.

Durante a minha carreira de executivo, eu trabalhei em 13 empresas diferentes, sou grato a todas elas pelas oportunidades que me deram e especialmente grato ao Conseg, uma administradora de consórcios que gerencia contas como Iveco, New Holland e Noma. Esta empresa tem um ambiente de trabalho incrível e eu nunca escondi de ninguém o carinho especial que tenho por esta companhia. Na minha experiência trabalhando no Consórcio Iveco, tive a felicidade de conhecer quase todos os Estados deste país, de fazer amigos inesquecíveis e de poder me desenvolver como profissional e como pessoa. Foi tentando entender os resultados do meu trabalho no Consórcio Iveco que comecei a me aprofundar nos estudos e que, pela primeira vez, tive contato com um artigo científico.

Tenho muito orgulho de ter estudado na FAE Business School, tanto na graduação quanto no programa de MBA. Tenho ainda mais orgulho de, hoje, ser professor desta instituição. Agradeço a todos os meus colegas da FAE pelo companheirismo e incentivo, sempre presentes. Os professores

Rafael Leal e Douglas Zela merecem um agradecimento especial por terem confiado no meu trabalho e por terem me ajudado de forma brilhante no início da minha carreira como professor. Um muito obrigado também a todos os meus alunos da graduação e pós-graduação. Hoje, o professor mais aprende com os alunos do que os ensina. Conversando com os alunos e, às vezes, até brigando com eles, aprendi lições que nunca irei esquecer.

Já que estamos falando sobre professores, gostaria de agradecer aos meus três favoritos: Mac Watson, Peter Rea e Mary Pisnar, da Baldwin-Wallace University. Nas aulas destes grandes mestres, desenvolvi habilidades fundamentais para a minha carreira e fui inspirado a fazer a diferença na vida de muitas pessoas. YJ4L.

Agradeço também a todos os pesquisadores, autores e profissionais com os quais entrei em contato enquanto escrevia este livro: Dan Ariely, Tom Rath, Jonathan Haidt, Tal Ben-Shahar, G. Richard Shell, Daniel Pink, Robert Sutton, Sheena Iyengar, Cali Ressler, Geoffrey James, Derek Sivers, Luis Norberto Paschoal, Ad Kleingeld, entre outros. Agradeço especialmente ao meu maior ídolo da atualidade: o prof. Adam Grant, da Wharton School. Apesar de ser extremamente famoso e igualmente ocupado, Adam nunca deixou de responder aos meus e-mails e, além disso, deu dicas incríveis, indicou estudos desconhecidos do mundo dos negócios, sugeriu livros, incentivou e inspirou fortemente todo o conteúdo deste livro.

Para finalizar, agradeço a todos os meus amigos - que tomariam inúmeras páginas se fosse para mencionar o nome de todos. Meus amigos sempre foram parte presente em minha vida e, apesar de um natural distanciamento com o passar dos anos, todos eles me ajudaram a ser quem eu sou. Um amigo extremamente especial, e que tenho a honra de mencionar o nome para finalizar os agradecimentos, chama-se Amarílio Vasconcellos. Desde que eu compartilhei com ele a minha vontade de começar uma empresa, ele sempre me apoiou, me tranquilizou e colocou-se à disposição para ajudar. É um amigo de verdade, que nunca duvidou do meu sonho e comemorou cada pequena vitória que eu tive.

ÍNDICE

PRÓLOGO 12

PARTE 1 - COMO REMUNERAR DE FORMA CERTA 26

CAPÍTULO 1
INCENTIVOS FINANCEIROS E SUAS (PREOCUPANTES) CONSEQUÊNCIAS 29
- Incentivos Financeiros Causam Melhor Performance... Raramente 30
- Habilidades Motoras x Habilidades Cognitivas 32
- Motivação Nem Sempre É Algo Bom 33
- A Estratégia Conta Mais do que o Vendedor 34
- Os Resultados dos Vendedores Não Dependem Somente Deles 35
- Conclusão 37

CAPÍTULO 2
INCENTIVOS FINANCEIROS E SUAS CONSEQUÊNCIAS AINDA PIORES 39
- Incentivos Financeiros x Motivação Interna 39
- Desonestidade e Trapaça 43
- Desigualdade de Condições 45
- Vício 46
- Dificuldade em Mudanças Estratégicas 47
- Desunião da Equipe 47
- Prisão no Efeito Tetris da Competitividade 48
- Incentivo ao Pensamento de Curto Prazo 49
- Falta de Foco no Cliente 50
- Desgaste do Corpo Gerencial 51
- Bloqueio da Criatividade 51
- Conclusão 54

CAPÍTULO 3 - O PODER DA SEGURANÇA FINANCEIRA 57
- Uma Simples Solução 58
- Resultados Mais do que Incríveis 58
- O Fim da "Empurrometria" 60

Zona de Conforto que Causa Desconforto 62
Experiência de Compra 64
Marketing Eficiente e Gratuito 67
A Morte do Conflito de Interesses 68
Conclusão 69
PARTE 1 - RESUMO 70

PARTE 2 - COMO INCENTIVAR, DETERMINAR METAS E RANQUEAR DE FORMA CERTA 72

CAPÍTULO 4 - INCENTIVOS QUE FUNCIONAM 75
Incentive Com Experiências, Não Com Bens Materiais 75
Premie Todos ou Não Premie Ninguém 77
Premie Todos de Forma Igual 78
Prêmios Devem Ser Dados às Vezes e Sem Sequência Lógica de Tempo 78
Avise com Antecedência, Caso a Experiência Seja Fantástica 79
Seja Criativo: as Pessoas Querem Menos do que se Imagina 80
Doar Motiva Mais do que Receber 81
Doar Comissões Gera Mais Retorno do que... Comissões 82
Conclusão 83

CAPÍTULO 5 - ESTABELECENDO METAS EFETIVAS 85
Metas Devem Ser um Desafio, Porém Alcançáveis e Justificáveis 86
Cada Vendedor Deve Determinar Sua Própria Meta, Escrevê-la Num Papel e Assinar Seu Nome 88
Conformismo Aprendido 89
Metas Devem Ser Globais, Nunca Individuais 91
Determine Metas Semanais, Fuja das Metas Mensais ou Diárias 92
Mostre Quanto da Meta Já Foi Atingido, Não Quanto Falta 94
Acompanhamento Diário, Sofrimento Desnecessário 96
Avise a Equipe Quando Ela Tiver Atingido 70% da Meta 98
Avalie os Vendedores Também Por Metas Não Financeiras 99
Conclusão 100

CAPÍTULO 6 - O PODER (NEGATIVO) DE *RANKINGS* 103
RANKINGS NÃO MELHORAM RESULTADOS 103
BOAS NOTÍCIAS X MÁS NOTÍCIAS 104
DIFICULTAÇÃO SOCIAL 105
COMPETIÇÃO "SAUDÁVEL". PRA QUEM? 106
TENDÊNCIA DA RESPONSABILIDADE 107
O EFEITO IKEA 108
OS NÃO FUNCIONÁRIOS DO MÊS 109
CONCLUSÃO 110
PARTE 2 - RESUMO 112

PARTE 3
COMO CONTRATAR, MOTIVAR E GERENCIAR DE FORMA CERTA 114
CAPÍTULO 7 - CONTRATANDO AS PESSOAS CERTAS 117
O DOM DE VENDER 117
O PRIMEIRO CONTATO GERA A EXCELÊNCIA 118
VENDEDORES EXTROVERTIDOS SÃO OS MELHORES. SERÁ? 119
O ESTILO EXPLANATÓRIO 120
VENDEDORES DEVEM SER DOADORES 122
CONCLUSÃO 123

CAPÍTULO 8 - BUSCANDO PROPÓSITO 125
VALORIZANDO OS EXEMPLOS ERRADOS 126
MOSTRE AOS VENDEDORES O REAL IMPACTO DE SEUS TRABALHOS 127
CUIDANDO DE PESSOAS, NÃO DE RAIOS X OU DE CONTAS 128
SEM PROPÓSITO, SEM ENGAJAMENTO E SEM FELICIDADE 129
FAÇA A MISSÃO DA EMPRESA TER UM PROPÓSITO 130
TER PROPÓSITO NÃO É APENAS DOAR 132
UM POUCO DE REFLEXÃO SOBRE O PAPEL DO PROPÓSITO EM NOSSO PAÍS ... 133
A GERAÇÃO QUE NÃO QUER NADA COM NADA QUER ALGUMA COISA, SIM 135
CONCLUSÃO 136

CAPÍTULO 9 - DANDO LIBERDADE 137
Loucos Por Controle 138
Colhendo o Que Plantam 138
O Resultado da Liberdade 140
Quem Controla Não Precisa de Controle? 141
Crescimento Gigante, Turnover Despreocupante 142
Liberdade Para Fazer Intervalos 143
Inconscientemente Trabalhando 144
Intervalos Longe da Mesa em Boa Companhia 145
Liberdade Para Reconhecer 147
Conclusão 150
PARTE 3 - RESUMO 151

EPÍLOGO 154

APÊNDICE - AS FERRAMENTAS DO GESTOR DE VENDAS CIENTÍFICO 158
Aulas de Inglês 159
Google Acadêmico 160
Periódicos Capes 162
Facebook 162
Twitter 163
Fast Company 164
Newsletters 164
Livros 165
Ted Talks 165

REFERÊNCIAS BIBLIOGRÁFICAS 167

PRÓLOGO

Há milhares de anos, médicos gregos e romanos achavam que tinham descoberto a causa e a cura para qualquer doença. Eles acreditavam que todas as doenças aconteciam por uma única causa: sangue "ruim". Para livrar os pacientes deste sangue "ruim", o procedimento mais utilizado era a sangria – um corte em uma veia do braço do paciente para deixar o sangue "ruim" escorrer por alguns minutos, às vezes horas. Os médicos daquele tempo usavam este procedimento para curar desde dores de garganta até a peste negra. Obviamente, diversas pessoas morriam de hemorragia devido a este procedimento e, com o passar dos anos, a Medicina descobriu que a sangria era eficiente apenas em raríssimos casos, como, por exemplo, em ocasiões nas quais era necessário baixar a pressão arterial de uma pessoa de forma rápida: um procedimento ainda comum em casos de emergência para tratar de acidentes vasculares cerebrais (AVC), quando não há medicamentos disponíveis.

Outro procedimento comum na Medicina antiga era a trepanação. Quando um paciente sofria de fortes dores de cabeça ou de algum transtorno mental, os médicos acreditavam que, se fosse aberto um pequeno orifício no crânio da pessoa, a dor de cabeça ou a doença mental sairia pelo buraco aberto na cabeça - o que faz muitas pessoas agradecerem de joelhos aos laboratórios farmacêuticos pela descoberta de soluções um pouco menos doloridas para curar dores de cabeça. Como se pode imaginar, muitas pessoas também morreram por causa da trepanação. Com o passar dos anos, a Medicina descobriu que este procedimento não tinha eficiência alguma e ele foi abandonado[1].

Até os dias de hoje, existem regiões no Brasil onde as pessoas, pela falta de médicos e de conhecimento, usam crenças populares e intuição para tratar de doenças. Venho de uma família de médicos: meu pai é médico, assim como vários dos meus tios e o meu avô. O meu pai, Juarez Gaziri, começou a sua carreira no interior do Paraná, numa cidade chamada Enéas Marques. Ele foi um dos primeiros médicos a chegar àquela cidade e algumas das histórias mais incríveis que eu já ouvi sobre a força das crenças populares vieram do meu pai que, depois de Enéas Marques, continuou atendendo cidades no interior do Paraná. Ele me contou que pessoas com varizes nos pés e pernas acreditavam que se enfiassem a parte afetada dentro de um formigueiro as formigas comeriam as varizes e o problema se resolveria. Muitas descobriram de forma trágica que esta solução não era eficiente depois de terem infecções e ficarem internadas durante semanas num hospital. Quando as pessoas sofriam cortes de enxada na lavoura, o tratamento mais comum era cobrir o ferimento com teias de aranha. Mas a crença mais surpreendente, e talvez a mais engraçada, era a de que, se uma mulher recebesse transfusão de sangue de um homem de raça diferente da dela, quando ela tivesse um filho, a criança nasceria com a raça do homem doador.

Eu imagino que você deva estar achando engraçada a ignorância dos médicos antigos, bem como a inocência das pessoas em acreditar em tratamentos para lá de estranhos.

No entanto, você está achando tudo isto engraçado porque não sabe que todos os dias empresas e profissionais tomam decisões e seguem estratégias tão pouco eficientes e antiquadas quanto a sangria ou outras baseadas em crenças populares tais como curar varizes enfiando o pé no formigueiro.

A grande diferença entre a Medicina e os negócios é que, com o passar dos tempos, a Medicina começou a analisar a eficiência de cada procedimento utilizado e a testar os mais diversos tratamentos para doenças e cirurgias com o objetivo de decidir qual deles era o mais eficiente e o mais rápido para a recuperação do paciente; qual ocasionava menos dor e menos efeitos colaterais, com menor risco de morte, e quais procedimentos antigos não eram tão eficientes como se imaginava. Depois de cada descoberta, os médicos começaram a escrever e a publicar seus estudos, possibilitando que toda a comunidade médica se atualizasse com as novas descobertas e pudesse aplicá-las. Este método de buscar uma hipótese, testar e analisar dados, comparar com os estudos anteriores e posteriormente chegar a uma conclusão chama-se Ciência. Toda a Medicina gira em torno de descobertas científicas voltadas para descobrir as causas de doenças, os tratamentos, as cirurgias, os medicamentos, a prevenção e o acompanhamento. Nenhum médico deve tomar uma decisão porque ele "acha" que vai funcionar: toda decisão que ele toma deve contar com comprovações científicas. Aliás, nenhum médico deveria tomar uma decisão sem este cuidado básico, mas, infelizmente, até na Medicina existem profissionais que seguem intuições, crenças populares ou estão desatualizados.

Esta união entre a Medicina e a Ciência é a responsável pelo tão grande aumento da expectativa de vida no mundo todo, nas últimas décadas. Na década de 1970, a expectativa de vida do brasileiro era de apenas 51 anos e, atualmente, é de quase 75 anos[2]. Com os últimos avanços tecnológicos, descobertas cada vez mais incríveis estão surgindo. Hoje, existe a possibilidade de médicos em universidades e até em países diferentes realizarem o mesmo estudo com uma amostra extremamente confiável de pacientes, estudando-os durante décadas para chegarem a uma conclusão: logo teremos tratamentos altamente eficientes para curar doenças atualmente incuráveis.

O que poucas pessoas sabem é que da mesma forma que a Ciência ajuda a Medicina ela também ajuda as empresas. Da mesma forma que hoje existem tratamentos comprovadamente eficazes para a maioria das doenças, existem também estratégias comprovadamente eficazes para a maioria dos desafios que uma empresa enfrenta. Todos os dias, universidades como Harvard, Wharton, Stanford e Duke publicam estudos incríveis sobre como as empresas podem alcançar resultados mais efetivos na área de gestão de pessoas, vendas, marketing, economia ou finanças. Aliás, isto não é novidade: a Ciência pesquisa estas áreas há mais de um século. Infelizmente, diferentemente do que ocorre na Medicina, que evoluiu com os estudos científicos, as empresas ignoram, subestimam ou desconhecem a Ciência e, por isso, baseiam suas decisões em recursos nada confiáveis: experiências passadas, experiências de seus executivos, benchmarking, crenças populares, convenções sociais e intuições. Prova disso é que um artigo científico publicado em um journal é lido por apenas dez pessoas, em média[3]. Um dos objetivos deste livro é justamente disponibilizar ao público empresarial estudos científicos que são praticamente desconhecidos fora dos círculos acadêmicos.

Apesar de mais de um século de descobertas científicas fantásticas, este desconhecimento leva empresas de todos os portes a seguirem "o que sempre deu certo". Este é o motivo de termos tão poucas empresas verdadeiramente diferenciadas neste mundo. Eu costumo dizer que:

Hoje em dia só erra a empresa que quiser!

Este é um livro diferente sobre gestão de equipes de vendas.

Todo o conteúdo aqui apresentado é comprovado pela Ciência como eficiente. Em nenhuma parte deste livro você irá encontrar minhas opiniões pessoais ou afirmações baseadas em minhas experiências passadas ou provenientes de minhas intuições - erros comuns em qualquer livro de negócios.

Apesar de este livro ser direcionado aos gestores da área de vendas, a maioria das estratégias aqui apresentadas pode ser de grande valia para executivos das mais diversas áreas, pois o material com o qual todos trabalham é o mesmo: pessoas.

Passei os últimos 12 anos estudando Ciência aplicada aos negócios de forma exaustiva. Li centenas de artigos científicos, recebi contribuições dos maiores pesquisadores da atualidade, estudei no Brasil, nos Estados Unidos e na Inglaterra para me aprofundar no assunto. Enfim, fiz de tudo para reunir o que existe de melhor e de mais atual em Ciência, para compilar os estudos que estão virando o mundo corporativo de cabeça para baixo e para possibilitar uma grande mudança na realidade de muitas empresas.

Neste livro, eu apresento mais de uma centena de estudos científicos relacionados com a área estratégica de vendas, obtidos pelas mais importantes universidades do mundo e com metodologias de pesquisa tão rigorosas quanto as utilizadas nos estudos da Medicina. Geralmente, quando eu falo o termo científico para alguém, consigo visualizar esta pessoa imaginando um laboratório ou pensando em algo extremamente sofisticado e de difícil compreensão, porém, a beleza de cada estudo que aqui apresento está na simplicidade. Todos os estudos apresentados aqui podem ser facilmente implementados nas empresas no curto prazo, sem grandes complicações. Aliás, o maior esforço que fiz neste livro foi o de trazer exemplos reais e práticos de como as empresas podem e devem implementar as estratégias apresentadas de forma simples.

Você irá descobrir a visão da Ciência sobre algumas das estratégias mais utilizadas pela área comercial de uma empresa - estratégias que as companhias seguem porque "sempre foi assim" e que, portanto, nunca mais tiveram sua eficiência questionada. Entre as centenas de descobertas que você fará neste livro, estão:

• Por que comissões trazem piores resultados em vendas e como remunerar vendedores para obter resultados incríveis.

- A razão pela qual toda equipe de vendas tem poucos vendedores que vendem muito e muitos que vendem pouco.
- Quais tipos de prêmios realmente motivam vendedores e por que a forma atual de premiação usada pelas empresas não gera motivação de longo prazo.
- Os motivos pelos quais o ser humano é mais motivado por doar do que por receber e como sua empresa pode usar esta informação.
- Por que a estratégia que a sua empresa usa é infinitamente mais importante para o sucesso do que o esforço e a dedicação das pessoas.
- Por que a maneira tradicional usada pelas empresas para determinar metas de vendas está errada e o que fazer para consertar isto.
- O motivo pelo qual os vendedores fecham a maioria de seus negócios nos últimos dias do mês e o que fazer para mudar esta realidade.
- As razões pelas quais rankings de vendas não geram os resultados que as empresas esperam.
- Como recrutar vendedores usando métodos comprovadamente eficientes para encontrar profissionais com o perfil mais adequado.
- Os motivos pelos quais gerir vendedores tentando controlar tudo o que eles fazem leva a resultados péssimos e qual é a forma ideal de gestão de uma equipe de vendas.

Como um ex-executivo, que passou grande parte da carreira na área comercial, depois de ter descoberto a Ciência aplicada às vendas, a maior frustração da minha carreira foi ver as empresas onde trabalhei deixarem passar diversas oportunidades de conquistar novos clientes, melhorar a performance de suas equipes, realizar campanhas de marketing mais eficientes, fidelizar verdadeiramente seus clientes ou obter mais engajamento dos funcionários simplesmente por preferirem seguir o que "todo mundo faz". Sim, isto pode parecer incrível neste primeiro momento – quando você ainda não conhece quais são as estratégias que apresento no livro – principalmente quando as empresas, as escolas de negócios e a mídia todos os dias nos dizem que para sobreviver no mercado atual é extremamente importante ser diferente e inovador. Aliás, em 2010, o relações públicas americano Adam Sherk estudou centenas de milhares de empresas e descobriu quais os jargões mais usados pelas empresas em seus press releases, ou seja, ele descobriu quais são as palavras que as empresas usam para se autodefinir, para dizer ao mercado o que elas são[4].

1	LÍDER	161.000
2	LIDERANÇA	44.900
3	MELHOR	43.000
4	TOP	32.500
5	EXCLUSIVA	30.400
6	EXCELENTE	28.600
7	SOLUÇÃO	22.600
8	MAIOR	21.900
9	INOVADORA	21.800
10	INOVADOR	21.400

Perceba que as empresas adoram se autodefinir com termos que as remetem a ser a melhor, a ser a diferente e a ser a inovadora. Mas, infelizmente, quando as empresas têm contato com um estudo científico - que geralmente sugere estratégias completamente contrárias ao que a maioria delas segue – pouquíssimas decidem segui-los para serem verdadeiramente diferentes, melhores e inovadoras. A maioria prefere continuar fazendo o que todas as outras fazem e ainda continuar acreditando na ilusão de que mesmo assim são diferentes, que pensam "fora da caixa".

Já na minha vida de estudante, minha frustração veio depois de formado. Nenhum dos professores que tive na faculdade de Administração de Empresas me disse que, quando eu fosse tomar uma decisão no meu trabalho, seria prudente procurar um artigo científico sobre o assunto para aumentar a probabilidade de acerto. No Brasil, por valorizarmos muito pouco a Ciência aplicada aos negócios e, consequentemente, termos muito pouca relevância no mundo científico, as universidades, que deveriam ser as provedoras de descobertas científicas, preferem continuar ensinando teorias e estratégias baseadas na opinião de gurus e autores famosos. Mas, como mencionei anteriormente, uma opinião não é fonte confiável para tomar decisões, pois ela, muitas vezes, nada mais é do que uma aposta.

Muitas empresas até hoje gostam de seguir o conceito de que devem "aprender errando", ou seja, estas empresas acreditam que o processo de descobrir novas abordagens na base da tentativa e do erro ainda é eficiente no mundo em que vivemos. Este conceito até já funcionou antigamente, quando as empresas tinham margem e tempo para errar sem correr muitos riscos. Até acredito que estratégias que nunca foram estudadas pela Ciência possam ser testadas na base do erro e do acerto, mas não custa pesquisar antes para verificar se existe algum estudo que já tenha sido publicado sobre a estratégia. Se este for o caso, as empresas não podem se dar ao luxo de errar: cada vez que uma empresa toma uma decisão errada ela corre riscos gigantescos de perder uma fatia do mercado que talvez nunca mais recupere, de lançar um produto que ninguém quer, de perder seu maior cliente, de ser ridicularizada pela mídia, de perder os seus maiores talentos. O preço de "aprender errando" é muito alto.

O mercado de palestras e treinamentos também está infestado de "gurus" vendedores de ilusões que tentam dar dicas para as pessoas sobre como ter sucesso, motivar pessoas, vender, negociar ou ser feliz, tudo sem o mínimo fundamento científico, na base da experiência pessoal ou do "achismo". Isto tudo sem falar dos muitos profissionais deste mercado que encontraram uma mina de ouro ao oferecer cursos para as pessoas se tornarem palestrantes de sucesso, nos quais, além de não apresentarem nada cientificamente eficiente, ainda brincam com os sonhos de muita gente. O mais novo mercado de formação de "coaches" segue a mesma linha, na maioria dos casos. Muitos destes palestrantes e "coaches" até têm boas intenções, mas como diz o ditado: A estrada para o inferno é pavimentada com boas intenções. A mistura de boas intenções com o achismo torna esta estrada ainda mais perigosa.

Mesmo na Medicina, uma área que deveria respirar Ciência, muitos profissionais ainda estão desatualizados quanto a diversos conceitos que são seguidos até hoje. A Medicina já descobriu, por exemplo, que não existe relação entre colesterol total e doença cardíaca[5], que comer gorduras saudáveis não engorda[6], que o estilo de vida é mais importante do que a genética[7] e que qualidade de calorias é mais importante do que quantidade[8]. Mesmo assim, muitos médicos continuam nos oferecendo diagnósticos e nos recomendando tratamentos baseados em estudos antigos, tendenciosos (muitas vezes pagos por indústrias) e ineficientes.

No mercado corporativo, a resistência em aplicar estudos científicos pode ser facilmente compreendida. O psicólogo americano Robert Cialdini explica de forma brilhante em seu livro Influência – A Psicologia da Persuasão, que o ser humano é movido por uma força chamada Princípio da Consistência[9]. Este princípio molda nossos comportamentos e decisões sem que a gente ao menos perceba. Resumindo, o Princípio da Consistência funciona da seguinte forma:

Quanto mais tempo uma pessoa passa acreditando em certas coisas, mais difícil para ela é acreditar em algo novo, principalmente quando esta nova descoberta vai contra tudo aquilo em que ela sempre acreditou.

Esta força da consistência é tão grande que, muitas vezes, mesmo sabendo que estão fazendo algo errado, as pessoas continuam insistindo em fazer desta forma para manter suas decisões e comportamentos consistentes com aquilo que sempre fizeram e acreditaram. Ser consistente, mesmo que errado, é uma norma social, ou seja, as pessoas que são consistentes com aquilo que já fizeram, com aquilo com que já se comprometeram ou que até já escreveram são vistas com bons olhos pela sociedade. Ser consistente é um comportamento socialmente desejado e esperado, afinal, desde cedo aprendemos que devemos cumprir aquilo que prometemos. Já as pessoas que não são consistentes, aquelas que prometem e não cumprem, que dizem uma coisa e fazem outra, que mudam de opinião facilmente ou que têm atitudes muito diferentes da maioria, são vistas de forma negativa pela sociedade, às vezes até mesmo como descompensadas emocional e mentalmente. Isto tudo significa que as pessoas preferem ser vistas como consistentes a inconsistentes. O famoso físico Michael Faraday disse em certa ocasião que, para uma pessoa, o fato de ser consistente tem um peso maior do que estar certo. Infelizmente, Faraday não viveu nos anos 1900 para descobrir que a sua teoria estava certa. Neste contexto, ser consistente equivale a ser retrógrado e ser inconsistente significa estar disposto a evoluir.

Em 1955, dois psicólogos americanos chamados Morton Deutsch e Harold Gerard fizeram uma série de experimentos para testar o poder da consistência e do comprometimento no comportamento das pessoas[10]. Numa parte do estudo, eles pediram para alguns alunos da New York University adivinharem o comprimento de algumas linhas mostradas a eles, seguindo o procedimento abaixo, de acordo com o grupo em que estavam inseridos:

Grupo 1 – Escrever sua estimativa do comprimento da linha num papel que posteriormente seria jogado fora sem ser conferido pelos pesquisadores.

Grupo 2 – Escrever sua estimativa do comprimento da linha num quadro mágico, de forma privada, e apagá-la logo em seguida.

Grupo 3 – Escrever sua estimativa do comprimento da linha num papel, assinar seu nome e entregá-lo aos pesquisadores.

Logo após cada pessoa ter dado seu palpite sobre o comprimento da linha, elas receberam, propositadamente, informações de que suas estimativas estavam erradas e que, portanto, poderiam mudá-las se quisessem. Conhecendo um pouco sobre o Princípio da Consistência, em sua opinião, em qual dos grupos as pessoas tiveram maior dificuldade de desistir de suas estimativas iniciais? Imagino que você tenha acertado: as pessoas do Grupo 3. O fato de a pessoa ter escrito sua estimativa, assinado seu nome e entregue o papel (três formas de consistência) fez com que elas, mesmo sabendo que poderiam estar erradas, continuassem acreditando que suas estimativas estavam corretas. Perceba que o Princípio da Consistência faz com que as pessoas sejam extremamente teimosas. As pessoas do Grupo 2 foram as segundas colocadas neste quesito, grande parte dos participantes não mudou sua estimativa inicial. O fato curioso do comportamento deste grupo é o de que só eles mesmos sabiam quais eram suas estimativas, pois nenhuma outra pessoa tinha tido acesso ao que elas tinham escrito no quadro mágico, além disso, os participantes deste grupo apagaram suas estimativas do quadro segundos após as terem escrito. Perceba que a vontade de ser consistente continua presente no comportamento das pessoas mesmo que elas não tenham tornado suas estimativas públicas e mesmo que a estimativa tenha sido apagada segundos depois. Já os participantes do Grupo 1 foram os mais propensos a mudar suas estimativas iniciais, já que elas foram feitas de forma extremamente privada e não houve nenhum tipo de comprometimento público.

Este experimento evidencia um grande perigo: o desejo de ser consistente faz com que tenhamos dificuldades em mudar nossos comportamentos, crenças e atitudes. Uma vez que nos convencemos e que nos comprometemos publicamente de que algo que fizemos é certo, não precisamos mais refletir seriamente sobre este assunto, não precisamos mais gastar nosso tempo discutindo-o e não precisamos mais levantar informações para tomar esta decisão - algo que tem um apelo gigantesco para o nosso cérebro. Mas, o pior dano deste princípio é a tentativa insistente das pessoas em descredenciar e negar todo e qualquer conhecimento novo apenas para serem consistentes, principalmente quando este conhecimento novo as faz perceber que estão desatualizadas ou que estão tomando decisões erradas há muito tempo.

Como você deve imaginar, o desejo de ser consistente cresce de acordo com a idade de uma pessoa, afinal, existe um ditado que diz que é difícil ensinar truques novos para um cachorro velho. Para o nosso cérebro, sempre é mais cômodo que o nosso mundo continue sendo da forma como ele sempre foi, por isso, quando ouvimos algo contrário às nossas crenças, fazemos de tudo para negar esta informação nova e para inventar justificativas para não seguir este novo conhecimento. Aliás, um experimento científico feito com pessoas que tiveram as ligações entre seus dois hemisférios cerebrais cortadas – o que fez com que os hemisférios perdessem a comunicação e a capacidade de, por exemplo, ver uma figura e dizer o que era aquela figura – mostra que somos experts em inventar justificativas[11]. Este estudo mostrou a um paciente uma figura de um pé de galinha ao lado direito do seu campo de visão e uma figura de um carro e uma casa cobertos de neve, do lado esquerdo do seu campo de visão, e pediu para que, posteriormente, ele apontasse num conjunto de diversas fotos as que tinham relação com a figura que tinha acabado de ver. Quando vemos algo do lado esquerdo do nosso campo de visão, esta informação é processada do lado direito do nosso cérebro, que é responsável por interpretar padrões - como o rosto de uma pessoa - mas não tem capacidade para linguagem. Já quando vemos algo ao lado direito do campo de visão, isto é processado do lado esquerdo do cérebro – que é responsável por tarefas analíticas e pela linguagem. Quando uma pessoa teve estas ligações dos hemisférios cortadas – chamadas de corpo caloso – ela consegue ver e dizer tudo o que é mostrado ao lado direito do seu campo de visão. Já quando algo é mostrado ao lado esquerdo do seu campo de visão, a pessoa consegue ver (e posteriormente apontar) o que foi mostrado, mas não consegue dizer exatamente o que viu, pois o lado direito do cérebro não tem capacidade para linguagem, o que faz com que a imagem passe despercebida, como se a pessoa não a tivesse visto conscientemente (mas inconscientemente ela a viu). No caso deste estudo, o paciente conseguia facilmente dizer que viu um pé de galinha do lado direito de seu campo de visão e o relacionar com a foto de uma galinha posteriormente. Mas, quando perguntado sobre o que viu do lado esquerdo do seu campo de visão - uma casa e um carro cobertos de neve que haviam sido mostrados -, ele reportou não ter visto nada, mas conseguia apontar para a figura de uma pá. O fato curioso é que quando esta pessoa foi perguntada por que sua mão esquerda apontava para uma pá, ela dizia que a pá tinha relação com a limpeza do galinheiro, ou seja, o lado esquerdo do seu cérebro imediatamente encontrava uma justificativa plausível.

Este paciente obviamente sabia que sua condição não lhe permitia interpretar imagens projetadas ao lado esquerdo de seu campo de visão e, mesmo assim, o seu cérebro fazia o máximo esforço para que ele inventasse algo ao invés de falar: "Provavelmente estou apontando para uma pá pois você deve ter mostrado uma imagem de algo relacionado a este objeto para o lado direito do meu cérebro". Esta descoberta, de que as pessoas conseguem rapidamente inventar justificativas para seu próprio comportamento, é chamada de confabulação.

Muitos leitores - apesar de terem seu corpo caloso intacto - irão confabular sobre as estratégias apresentadas neste livro, irão lutar para continuar consistentes com suas decisões anteriores e irão tentar de todas as formas negar que estas estratégias funcionam, apesar de todas elas serem cientificamente comprovadas.

Alguns dos pensamentos que irão rodear a cabeça de muitos leitores durante o livro são os seguintes:
- Na minha empresa é diferente.
- Eu não funciono desta maneira.
- Estes estudos são de outros países e não se aplicam ao Brasil.
- Eu não me comportaria como as pessoas deste estudo.
- O mercado em que eu atuo é muito específico e estas estratégias não irão funcionar.
- A minha equipe não irá entender estas estratégias.
- Eu já faço de outro jeito há 30 anos e sempre deu certo.
- Aquela empresa famosa faz de outro jeito e é líder de mercado.

Caso isto aconteça com você, por favor, resista. Passe um tempo sozinho refletindo sobre o assunto, exercite seu cérebro. Evite conversar sobre o tema com pessoas que não leram o livro ou não conhecem Ciência, pois elas tentarão ser consistentes com o que conhecem e com o que a maioria faz. E isto pode influenciar o seu julgamento sobre o conteúdo do livro. Lembre-se de que o Princípio da Consistência é o maior inibidor de inovação, aprendizado e reciclagem de conhecimentos. Lembre-se de que esta força joga contra o seu crescimento, desenvolvimento, flexibilidade, diferenciação e, principalmente, contra o seu sucesso.

Infelizmente, mesmo vivendo numa era onde a Ciência avança a uma velocidade impressionante e onde as dúvidas mais frequentes sobre qualquer tipo de estratégia já foram respondidas por inúmeros estudos, continuaremos tendo gestores que preferem enfiar o pé no formigueiro e tratar doenças graves com sangria.

O intuito deste livro é fazer com que você não seja um deles.

Luiz Gaziri
Setembro de 2015

PARTE 1

COMO REMUNERAR
DE FORMA CERTA

Nós temos consciência de como muitas coisas funcionam neste mundo: a terra gira em torno do sol, os rios desembocam nos oceanos, o sol nasce ao leste e põe-se ao oeste e os vendedores vendem mais quando ganham comissões. E se estivermos errados? Ao menos sobre esta última informação? Na primeira parte do livro, irei ilustrar o que a Ciência nos comprova sobre a relação entre dinheiro e desempenho no trabalho. Veremos como as empresas usam estratégias de remuneração que são mais baseadas em intuições do que em fatos, estratégias que já funcionaram antigamente, mas que hoje têm um efeito contrário àquilo que os profissionais de vendas imaginam.

Nos três primeiros capítulos, você irá entender por que a fórmula que usamos para remunerar e motivar nossos vendedores (salário fixo + comissão = melhor performance) tem um erro fatal e o que as empresas precisam fazer para corrigi-lo e para alcançar resultados muito superiores aos que a maioria das empresas apresenta atualmente.

Mas, sem dúvidas, o maior aprendizado que você terá nesta parte será aprender a questionar estratégias que as empresas utilizam cegamente, simplesmente porque elas são o modelo mais comum no mercado. Você verá o alto preço que as empresas pagam por fazerem exatamente o que todas as outras fazem e por não seguirem estudos científicos para obterem estratégias mais adequadas.

Capítulo 1

INCENTIVOS FINANCEIROS E SUAS (PREOCUPANTES) CONSEQUÊNCIAS

É fácil perceber que, para a maioria das companhias, incentivos financeiros são a solução para qualquer problema:

- As vendas estão baixas? Vamos aumentar a comissão dos vendedores.
- Os funcionários estão desmotivados? Vamos oferecer um bônus para eles.
- A criatividade anda em baixa? Vamos estipular um prêmio para o trabalho mais criativo.
- Os funcionários estão chegando atrasados? Vamos dar um extra para quem chegar no horário.

Esta falsa intuição de que o ser humano é movido por recompensas externas e que se importa somente com ele mesmo move as empresas a criarem uma infinidade de programas de comissionamentos, bônus, participações nos lucros e opções de ações. Mas, ao olhar mais profundamente o impacto que estes incentivos causam na motivação e na performance das pessoas, você pode ficar muito surpreso.

INCENTIVOS FINANCEIROS CAUSAM MELHOR PERFORMANCE... RARAMENTE

No início dos anos 2000, o MIT (Massachusetts Institute of Technology), University of California, Carnegie Mellon, University of Chicago e a University of Toronto realizaram um experimento científico para investigar a relação entre incentivos financeiros e desempenho no trabalho[1]. Para isso, o estudo analisou o desempenho de estudantes do MIT em duas tarefas:

1. Digitar as teclas V e N repetidamente num computador durante um período de tempo.

2. Resolver 20 matrizes como a da figura abaixo, encontrando dois números que somados resultassem em 10.

9,38	6,74	8,17
5,15	6,61	3,06
9,71	0,91	4,88
3,58	4,87	6,42

Num primeiro momento, os pesquisadores ofereceram os seguintes incentivos financeiros para a realização das tarefas:

• Performance ruim: US$ 0,00
• Performance média: US$ 15,00
• Performance excelente: US$ 30,00

Logo após a resolução das tarefas pelos alunos, os pesquisadores solicitaram que eles repetissem as mesmas tarefas, sendo que desta vez eles iriam oferecer os seguintes incentivos:

• Performance ruim: US$ 0,00
• Performance média: US$ 150,00
• Performance excelente: US$ 300,00

Você ficaria motivado para ganhar US$ 300,00 em poucos minutos? Estou certo de que ficaria. Da mesma forma, é fácil intuir que os participantes do estudo ficaram extremamente empolgados com a possibilidade de ganhar um bom dinheiro para realizar estas tarefas. Principalmente pelo fato de que a oportunidade de ganhar US$ 300,00 apareceu exatamente (e propositadamente) no final do mês, quando as economias dos estudantes estavam praticamente esgotadas e eles estavam desesperados por dinheiro.

Após a resolução das tarefas com incentivos financeiros diferentes, os pesquisadores levantaram os dados da performance de cada participante e chegaram a uma conclusão surpreendente ao avaliar o que aconteceu quando os incentivos financeiros aumentaram de US$ 0,00, 15,00 e 30,00 para US$ 0,00, 150,00 e 300,00:

- **Tarefa de digitação:** 82,6% das pessoas tiveram melhor performance.
- **Tarefa das matrizes:** 70,8% das pessoas tiveram pior performance. 16,7% das pessoas tiveram melhor performance.

Curioso, não é mesmo? Antes de realizar este experimento, os pesquisadores haviam realizado um estudo similar na cidade de Madurai, na Índia. Nesta oportunidade, foram designadas seis tarefas para os participantes resolverem: repetir os últimos três números de uma sequência numérica ditada pelos pesquisadores, brincar com o famoso brinquedo Genius, guiar uma bolinha até a saída de um labirinto em forma de tabuleiro, acertar uma bola de tênis num alvo, encaixar todas as peças de um jogo num tabuleiro com espaço limitado e, finalmente, impulsionar para cima uma bola encaixada em duas cordas.

Os participantes foram separados em três grupos e, caso tivessem uma performance excelente, receberiam os seguintes incentivos:

- **Grupo 1:** um dia e meio de salário.
- **Grupo 2:** duas semanas de salário.
- **Grupo 3:** cinco meses de salário.

Não tenho dúvidas de que você também ficaria extremamente motivado com a possibilidade de receber cinco meses de salário em alguns minutos, mas qual foi o resultado deste estudo? Os pesquisadores descobriram que em todas as tarefas as performances dos grupos 1 e 2 não tiveram diferença significativa, ou seja, foram basicamente iguais, apesar da diferença brutal entre os incentivos financeiros oferecidos para cada grupo. E o grupo 3? De acordo com a fórmula em que as empresas confiam (salário fixo + comissão = melhor performance), a possibilidade de ganhar cinco meses de salário faria com que este grupo obtivesse o melhor resultado entre todos, certo? Não foi o caso: o grupo 3 foi o que obteve pior performance em todas as tarefas, exceto por uma, onde alcançaram o segundo lugar. A tarefa? Jogar uma bola de tênis num alvo. Perceba que estes resultados são muito similares aos do experimento no MIT: aumentos no incentivo financeiro levaram a um pior desempenho.

Antes deste estudo, o prof. Harry Harlow, da University of Wisconsin[2], e os professores Uri Gneezy, atualmente na University of California at San Diego, e Aldo Rustichini, hoje na University of Minnesota, já haviam realizado experimentos distintos onde grupos que não receberam incentivos (comida ou dinheiro) tiveram melhor performance do que grupos que recebiam estes incentivos[3].

Isto vai contra tudo o que todo mundo afirma, não é mesmo?

HABILIDADES MOTORAS X HABILIDADES COGNITIVAS

Mas espera aí: por que na tarefa de digitação e na tarefa de jogar uma bola de tênis num alvo as pessoas tiveram melhor performance com incentivos financeiros mas em tarefas como a das matrizes o resultado foi inverso? Qual é a diferença entre estas atividades?

É aqui que este estudo mostra a sua beleza! Os pesquisadores descobriram que incentivos financeiros funcionam exclusivamente para tarefas que exigem apenas habilidades motoras, ou seja: força física e coordenação. Digitar as teclas V e N num computador ou jogar uma bola de tênis num alvo exige apenas habilidades motoras. Já em tarefas que exigem habilidades cognitivas, ou seja, criatividade e inteligência, incentivos financeiros levam a uma pior performance.

Para deixar esta diferença mais clara, tarefas que exigem habilidades motoras são fáceis de se resolver, a solução para o problema se apresenta de forma clara, não existem surpresas de última hora e o final da tarefa é sempre igual. Uma pessoa que trabalha colhendo frutas ou apertando parafusos usa esta habilidade: a pessoa que colhe frutas nunca irá se surpreender com a presença de um legume na árvore e a pessoa que aperta parafusos dificilmente irá encontrar um prego no lugar do parafuso. Já tarefas que exigem habilidades cognitivas são mais difíceis de se resolver, existem surpresas de última hora, a solução para o problema não é clara e o final da tarefa nunca é igual. Um exemplo claro de profissional que usa estas habilidades é o vendedor. Vender exige raciocínio e criatividade, é comum o cliente pedir algo de última hora, a solução para uma venda dificilmente é clara e o final de uma visita de vendas é imprevisível: o cliente pode não ter dinheiro para comprar, pode achar caro, pode não comprar hoje, pode não ter ido com a cara do vendedor, pode pedir desconto, pode ter dinheiro para comprar só daqui a alguns meses, pode achar o produto feio, pode não querer comprar nunca, pode pedir para o vendedor voltar em uma semana, pode comprar naquele exato momento, pode ter que conversar com outro setor, e assim vai. Existem diversos finais possíveis para uma venda.

O que estamos fazendo com nossas empresas e com nossas equipes comerciais?

Perceba que a estratégia de incentivos financeiros que as empresas seguem é completamente contrária aos estudos científicos. Geralmente, funcionários que usam somente habilidades motoras em seus trabalhos - produção, limpeza, manutenção - não ganham incentivos financeiros, o que melhoraria seus resultados. Mas aqueles funcionários que usam frequentemente habilidades cognitivas em seus trabalhos - áreas de vendas, marketing, estratégia, finanças, entre outras - geralmente ganham algum tipo de incentivo financeiro. Para obter mais produtividade e melhores resultados, as empresas devem inverter esta estratégia.

MOTIVAÇÃO NEM SEMPRE É ALGO BOM

Neste estudo, os pesquisadores descobriram que em tarefas criativas a possibilidade de ganhar um bom dinheiro nos gera níveis altíssimos de motivação externa, atingindo um nível chamado de motivação supraótima. Este nível motivacional elevado faz com que tentemos controlar os aspectos de atividades que já sabemos realizar naturalmente - sem incentivos - o que gera piores resultados. Pense num jogador de futebol que é o batedor oficial de pênaltis de sua equipe. Este jogador bate diversos pênaltis no treino e no jogo – ele já sabe fazer esta tarefa, ela é algo natural para o jogador. Se, numa oportunidade de jogo, eu oferecer um incentivo financeiro alto para o jogador converter o pênalti, você acredita que ele baterá a penalidade com a mesma naturalidade com que bate centenas de pênaltis no treino e nos jogos ou acha que ele irá começar a pensar: vou bater no canto direito... não, não, no canto esquerdo. Opa, acho que vou bater alto... não, não, alto não! Vou bater rasteiro. Melhor é deslocar o goleiro... será que eu bato no meio do gol então?

Entendeu o que acontece na cabeça do vendedor da sua empresa quando ele vai fazer uma venda? Ele já sabe vender, mas o incentivo financeiro que pode ganhar com a venda faz com que ele se atrapalhe ao apresentar o produto para o cliente, tente acelerar o processo de fechamento, conceda descontos com mais facilidade e use argumentações confusas, ou seja, o cérebro do vendedor começa a boicotar a sua própria performance porque ele tenta controlar coisas que já sabe fazer. A culpa de tudo isto é de um fator chamado motivação supraótima. A maioria dos vendedores acredita que a comissão vai motivá-los a ter melhor performance, mas não sabe que este tipo de motivação atrapalha seu desempenho.

A ESTRATÉGIA CONTA MAIS DO QUE O VENDEDOR

Eu gostaria de chamar sua atenção para um número, algo que explica o motivo pelo qual a maioria das equipes de vendas é igual: você deve se lembrar de que no experimento no MIT apenas 16,7% das pessoas tiveram uma melhor performance com incentivos financeiros. Não por coincidência, na maioria das equipes de vendas, de cada dez vendedores, sempre temos um ou dois que vendem bem mais do que os outros. Será que este fato acontece por culpa dos vendedores ou por culpa do sistema de comissionamentos? Sua empresa quer seguir uma estratégia onde apenas 16,7% das pessoas possam ser vencedoras ou prefere uma onde 100% possam vencer? Lembro apenas que ser parte destes 16,7% das pessoas não significa que elas sejam sempre melhores do que as outras: elas são melhores no sistema de comissionamentos. Num outro sistema de remuneração, existe a possibilidade de que pessoas que fazem parte dos outros 83,3% tenham resultados infinitamente melhores do que os das que pertencem aos 16,7%. A brilhante estratégia que conserta este desequilíbrio da performance em equipes de vendas é algo que você descobrirá um pouco adiante.

O que poucos executivos e empresas sabem é a origem do sistema de comissionamentos. Após a revolução industrial, profissionais como Frederick Taylor e Henry Ford notaram que, quando atrelavam incentivos financeiros à produtividade, os funcionários produziam mais[4]. Nesta época, a competição se dava pela quantidade produzida, ou seja, quanto mais carros a fábrica da Ford produzisse, mais vendas ela teria. É fácil lembrar que nesta época o trabalho das pessoas era puramente braçal, por isso a estratégia funcionava. Com o passar do tempo, a competitividade aumentou e, para uma fábrica de automóveis ter sucesso, apenas a quantidade produzida não garantia que o estoque todo seria vendido. A partir deste momento, começou a ser necessária uma inteligência para vender os carros. Foi então que surgiu o escritório e, junto com ele, o departamento de vendas. Como o trabalho no escritório era algo novo para os empresários da época, qual era o sistema de pagamento que eles conheciam como eficiente? Aquele que haviam implementado nas fábricas: ligar o salário das pessoas com a sua produtividade traz melhores resultados.

O fato mais curioso de toda esta história sobre o surgimento do escritório e da intuição de que quanto mais a empresa paga mais o funcionário produz, é que, desde esta época, as empresas nunca mais se questionaram sobre a eficiência dos incentivos financeiros: hoje em dia, a grande maioria dos trabalhos exige criatividade e as companhias continuam usando um sistema antiquado, que funciona em raríssimas ocasiões – um sistema tão atual quanto curar doenças utilizando a sangria.

Quando as coisas não vão bem, é sempre mais fácil para as empresas colocar a culpa nos funcionários. Isto é claro quando analisamos o percentual elevadíssimo de rotatividade de pessoas nas empresas, especialmente na área de vendas. Porém, é importante ressaltar que, na maioria dos casos, quando uma empresa não tem resultados bons, a culpa é da própria empresa e de sua gestão, e não dos funcionários. As pessoas que trabalham em uma empresa têm grande parte de sua performance ligada aos sistemas, ambiente e estratégias da empresa – sozinhas, as pessoas dificilmente conseguem promover mudanças significativas. Um excelente profissional, num péssimo ambiente de trabalho, terá performance ruim. Um vendedor magnífico, numa empresa que confia em comissionamentos, terá um desempenho fraco. Um grande gerente, numa empresa com uma estratégia errada, terá resultados insatisfatórios. Já passou da hora de as empresas atentarem neste fato e pararem de tentar consertar seus erros cortando pessoas. É hora de demitir sistemas e procedimentos de trabalho ruins, eliminar ambientes de trabalho carregados de pressão e dispensar executivos que traçam estratégias impossíveis de serem alcançadas.

OS RESULTADOS DOS VENDEDORES NÃO DEPENDEM SOMENTE DELES

Na época em que eu trabalhava como executivo na área de vendas, em praticamente todas as empresas onde trabalhei ganhando comissões, meus superiores sempre me disseram a mesma coisa: vai lá, agora só depende de você! É engraçado lembrar que nesta época eu - como a maioria dos vendedores até hoje - acreditava realmente que fazer uma venda dependia somente de mim mesmo: da minha vontade e motivação, que era eu mesmo quem construía o meu salário. Mas, depois que eu comecei a estudar ciências sociais, notei que esta é uma das maiores mentiras que um líder pode contar aos seus funcionários. Um estudo do prof. Jeffrey Pfeffer, da Stanford, revelou que os próprios líderes sozinhos raramente são responsáveis por mais de 10% do resultado de uma empresa[5]. Se analisarmos os motivos da falta de eficiência do sistema de incentivos por performance dentro dos escritórios – que resultou de uma cultura industrial que impera até hoje na maioria das empresas - percebemos dois erros fundamentais:

1. O trabalho na fábrica exigia apenas esforço físico e coordenação motora. O trabalho no escritório exige criatividade, e isto, já sabemos, não combina com incentivos financeiros.

2. Na fábrica, a performance do funcionário dependia basicamente dele mesmo, de sua força de vontade. No escritório, mais especificamente em vendas, a performance do vendedor depende muito mais de fatores externos - momento da economia, preço, qualidade do produto, avanços da tecnologia, atuação da concorrência, prazo de pagamento, taxas de juros, comportamento do cliente, sazonalidade, clima, entre dezenas de outros - do que de sua vontade própria.

Mesmo com a abundância de estudos científicos de extrema relevância que surgiram nas últimas décadas, poucas empresas pararam para pensar que, se incentivos financeiros funcionassem tão bem como elas imaginam e se o vendedor dependesse somente da sua vontade própria para vender, todos os vendedores seriam bilionários e não existiriam empresas com problemas financeiros – infelizmente, o comportamento humano e o mercado não são tão previsíveis como as empresas e executivos imaginam. A Ciência nomeia como reducionismo a ilusão de que um fenômeno pode ser explicado por apenas uma característica. Acreditar que incentivos financeiros sozinhos têm o poder de resolver qualquer problema dentro de uma empresa é um reducionismo.

Os resultados destes estudos nos levam a questionar uma estratégia de reconhecimento utilizada por muitas empresas: a meritocracia. Se temos evidências científicas suficientes para determinar que o sistema, estratégia e ambiente contam mais do que a vontade própria das pessoas e que, portanto, as pessoas não dependem somente delas mesmas para alcançar resultados, como podemos confiar numa estratégia que leva à ilusão de que o resultado de um profissional depende somente dele mesmo? Será que podemos confiar que uma pessoa que foi promovida por meritocracia realmente mereceu tal promoção? E se o sistema de remuneração da equipe de vendas não fosse baseado em comissões, será que esta mesma pessoa seria promovida? Caso as metas da empresa tivessem sido mais bem definidas, outro vendedor poderia ter melhores resultados? E se o gerente comercial conseguisse criar um ambiente de trabalho mais agradável, a mesma pessoa continuaria sendo a escolhida? Se este vendedor trabalhasse em outra região, o resultado dele seria o mesmo? A verdade é que podemos realizar infinitas perguntas parecidas com estas para comprovar que o modelo de meritocracia utilizado atualmente é mais uma estratégia falha, mais uma invenção, mais um procedimento baseado na intuição, mais uma maneira de incentivar o individualismo ao invés da cooperação, mais um jeito de beneficiar um percentual próximo a 16,7% das pessoas e deixar 83,3% de fora. Mais adiante, irei apresentar uma estratégia de reconhecimento que conserta os erros citados acima.

CONCLUSÃO

Atualmente, executivos de todos os níveis passam seus dias inventando as mais mirabolantes estratégias para se diferenciarem de seus concorrentes, mas falham em não questionar o *status quo* e a eficiência das estratégias mais básicas em que suas empresas confiam – apenas porque "sempre foi assim".

O fato de incentivos gerarem pior performance já foi documentado por mais de 200 estudos científicos[6]. Existem evidências desde a década de 1950 sobre este assunto[7]. Isto mostra que as empresas ou não conhecem a Ciência aplicada aos negócios ou a ignoram, ou, simplesmente, preferem seguir o que as outras empresas fazem: uma decisão frágil num momento onde a Ciência tem as respostas para a grande maioria das dúvidas relacionadas ao comportamento do ser humano. Porém, existe outra limitação maior dos executivos para aplicar esta estratégia, uma limitação que foi brilhantemente ilustrada numa frase do escritor americano Upton Sinclair[8]:

> *"É difícil fazer um homem entender algo quando o salário dele depende de que ele não entenda".*

Como a maioria dos executivos atuais recebe comissões e outros incentivos financeiros em seus trabalhos e continua acreditando na ilusão de que o resultado deles e de seus colegas depende somente de suas vontades próprias, infelizmente, continuaremos a ver muitas empresas enfrentando a mesma dificuldade com suas equipes de vendas e apenas uma minoria sendo verdadeiramente vitoriosa.

Capítulo 2

INCENTIVOS FINANCEIROS E SUAS CONSEQUÊNCIAS AINDA PIORES

Além de gerarem pior performance, incentivos financeiros podem ter outras consequências gravíssimas que raramente são analisadas pelas empresas. Como já vimos, quando tratamos da área motivacional, os incentivos financeiros aumentam a motivação externa gerando pior performance, mas a mais danosa consequência destes incentivos é a redução da motivação interna – o tipo de motivação que verdadeiramente nos leva a ter performance excelente. A falta de conhecimento das empresas sobre o que realmente motiva as pessoas é nítida quando analisamos que a maioria delas usa incentivos que aumentam a motivação externa, enquanto deveriam focar em incentivos que aumentam a motivação interna.

INCENTIVOS FINANCEIROS X MOTIVAÇÃO INTERNA

A principal consequência motivacional dos incentivos financeiros foi documentada pelo professor Edward Deci, da University of Rochester, nos Estados Unidos. Num experimento científico, ele pediu para dois grupos realizarem a mesma tarefa: construir formas com um quebra-cabeças chamado SOMA[1]. O quebra-cabeças se compõe de sete peças com formatos diferentes que, combinadas, podem resultar em diversas formas em 3D, como uma cadeira, um cubo, um prédio, entre inúmeras outras.

LUIZ GAZIRI

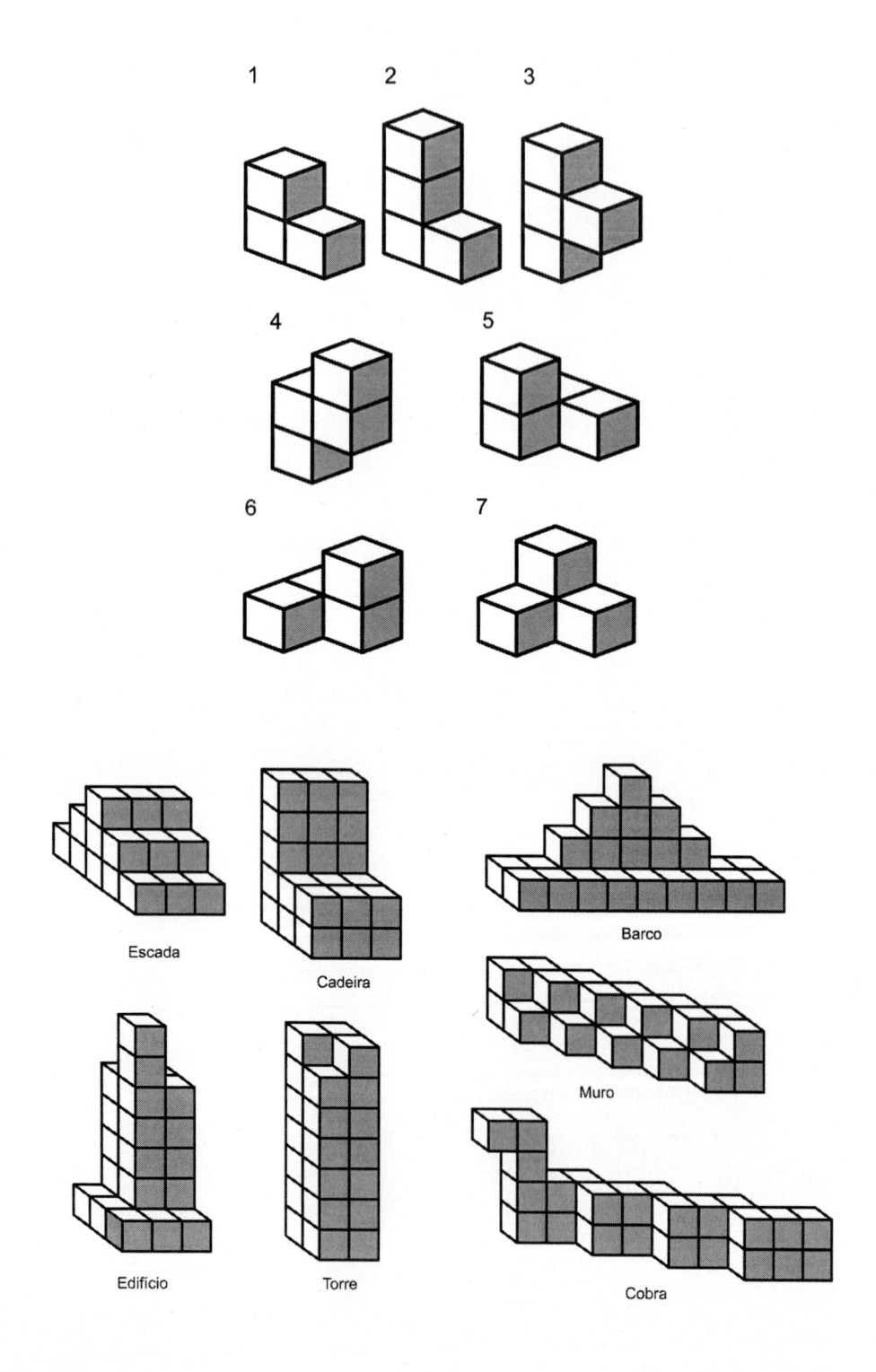

1
2
3

4
5

6
7

Escada

Cadeira

Barco

Muro

Edifício

Torre

Cobra

A condução dos experimentos se deu da mesma forma para ambos os grupos: o pesquisador levava uma folha com uma impressão do formato que as equipes deveriam desenvolver com o SOMA e, logo em seguida, saía da sala dizendo que iria até o computador buscar a impressão do próximo formato a ser desenvolvido pela equipe. Propositadamente, Deci colocou um sofá confortável e algumas revistas interessantes (inclusive um exemplar da Playboy, algo raro nos anos 1960, época em que o estudo estava sendo feito) próximos à mesa onde a equipe resolvia a tarefa. Ao sair, Edward Deci ia até uma sala anexa onde conseguia ver através de um grande painel disfarçado de espelho (uma novidade na época) o trabalho dos participantes. A única variação no estudo foi o método de incentivo financeiro aplicado a cada grupo nos três dias de experimento: o Grupo 1 nunca foi remunerado, já o Grupo 2 não recebia remuneração no primeiro dia, mas recebia remuneração ligada à performance no segundo dia e voltava a não ser remunerado no terceiro dia. Deci queria descobrir os efeitos motivacionais ao pagar um incentivo e depois tirá-lo.

Ele notou que no primeiro dia ambas as equipes desenvolveram suas tarefas com o mesmo interesse e pelo mesmo período de tempo. Já no segundo dia, o Grupo 2 (incentivado financeiramente) mostrou um interesse maior do que o do Grupo 1, trabalhando por mais tempo. Neste dia, o Grupo 1 trabalhou num ritmo parecido com o do primeiro dia. No terceiro dia, aconteceu o que ele imaginava: ao saber que não mais seria remunerado, o Grupo 2 demonstrou total desinteresse pela tarefa, enquanto o Grupo 1 trabalhou com o mesmo afinco.

A conclusão a que Edward Deci chegou neste estudo foi a de que, quando um motivador externo é oferecido numa tarefa, as pessoas perdem a motivação interna para realizá-la. Ou seja, as pessoas passam a trabalhar apenas para ganhar o incentivo financeiro e não porque o trabalho é importante para elas, para suas carreiras, para a empresa, para a economia ou para o cliente. Incentivos externos resultam na eliminação da motivação interna: no prazer que as pessoas têm em trabalhar, na sensação incrível de conseguir fechar uma negociação complicada, na satisfação em avançar num projeto importante, no sentimento incrível de deixar um cliente satisfeito.

Em 1949, o professor Harry F. Harlow, da University of Wisconsin, fez uma descoberta incrível, na qual poucas empresas atentam[2]. Harlow - que foi professor e ídolo de ninguém menos do que Abraham Maslow - analisou o comportamento e a performance de alguns macacos ao resolver uma tarefa sem incentivos externos e depois com incentivos externos – neste caso, cada vez que o macaco resolvia a tarefa de forma correta, ele ganhava algumas uvas passas. Da mesma forma que no estudo do MIT nos EUA e na Índia, quando os macacos foram incentivados externamente, eles tiveram pior performance - mas este estudo mostrou algo mais profundo: sem os incentivos externos, logo após resolverem a tarefa, os macacos demonstravam enorme satisfação e alegria. O estudo também reportou que, com o passar dos dias, estes macacos resolviam o problema em cada vez menos tempo, cometiam cada vez menos erros e demonstravam sinais de que gostavam cada vez mais de trabalhar. Por outro lado, quando os macacos receberam incentivos externos logo após resolverem a tarefa, com o passar dos dias eles começaram a resolvê-la em mais tempo, a cometerem mais erros e a demonstrarem total desinteresse pela tarefa propriamente dita. Perceba que os resultados deste estudo coincidem com os de Edward Deci: os macacos passaram a resolver a tarefa apenas para ganhar o incentivo e não mais porque tinham prazer em resolvê-la.

Comissões em vendas têm o mesmo efeito motivacional: o vendedor passa a trabalhar apenas para ganhar o dinheiro, não importando se o cliente ficará satisfeito ou se o cliente irá comprar novamente ou, ainda, se a empresa conseguiu atingir as margens mínimas indispensáveis para que ela venha a sobreviver no longo prazo porque o vendedor sabe que no longo prazo ele não estará mais trabalhando na mesma empresa. Além disso, a comissão dificulta que o vendedor sinta alguma satisfação em realizar seu trabalho, afinal, se ele precisa ganhar uma comissão para realizá-lo, este trabalho provavelmente deve ser desprazeroso. Infelizmente, enganamos a nós mesmos achando que o dinheiro incentiva nosso desempenho, mas não conhecemos as consequências comportamentais e psicológicas que ele nos causa.

A prática de oferecer incentivos externos é comum, não apenas no mundo das vendas, mas também em outras situações. Como pais, nós procuramos incentivar as boas notas de nossos filhos com presentes e outras regalias. Oferecemos doces como prêmios para as crianças mais novas comerem todo o almoço, condicionamos assistir televisão ao comportamento, entre outras práticas que todo pai conhece. Desta forma, estamos acostumando nossos filhos a receber uma "comissão" toda vez que fizerem algo normal e correto, embora isto seja, nada mais nada menos, do que o esperado. Agindo assim, acabamos com a motivação interna deles, fazendo com que eles se comportem, não porque estas normas sociais são importantes para seus desenvolvimentos pessoais e profissionais, mas, sim, porque irão receber um incentivo. O grande perigo é que, depois de alguns anos incentivando as crianças desta forma, ao chegarem à adolescência e na vida adulta, elas sempre irão esperar um incentivo após terem feito algo normal como terem boas notas na faculdade, se formarem, passarem num processo seletivo, entregarem um trabalho ao seu chefe, ajudarem um colega de trabalho, respeitarem as ordens de seus superiores e assim por diante. Sim, incentivos por performance viciam e, apesar de estes incentivos estarem tão presentes em nossas vidas profissionais, sabemos que nem sempre conseguiremos conquistá-los.

DESONESTIDADE E TRAPAÇA

Recentemente, o Exército americano lançou um programa para os hospitais que atendem veteranos de guerra, para que o tempo de espera dos pacientes tivesse uma brusca redução[3]. Caso este objetivo fosse cumprido, os administradores dos hospitais receberiam um bônus. Após a implementação desta ação, ao conferir os relatórios preenchidos pelos administradores, o departamento do exército ficou extremamente satisfeito ao perceber que a ação tinha funcionado de forma altamente satisfatória: o tempo de cada consulta havia sido reduzido e, consequentemente, a meta determinada para o tempo de espera estava sendo cumprida à risca. Os administradores estavam igualmente satisfeitos com a nova ação, pois, além de seus salários, ainda estavam recebendo um bônus pelo sucesso da ação. Parecia que finalmente o hospital havia conseguido estabelecer uma relação do tipo "ganha-ganha" com os administradores. Esta ação continuou sendo um sucesso até o dia em que os oficiais do Exército descobriram que os administradores do hospital estavam falsificando os horários dos registros de consultas apenas para ganharem o bônus.

Parece que, apesar de todos nós querermos ser pessoas boas e honestas, quando temos a oportunidade de trapacear, infelizmente uma força maior se apresenta e faz com que tenhamos comportamentos nada desejáveis, segundo um estudo de um dos maiores cientistas da atualidade, o prof. Dan Ariely da Duke University[4]. Numa série de experimentos, Dan Ariely e seus colegas fizeram alguns estudantes universitários resolverem

20 exercícios simples de matemática condicionados a incentivos financeiros. Após terem realizado os exercícios, no primeiro grupo, os estudantes deveriam entregar o livro de exercícios para um pesquisador que iria conferir quantas respostas os alunos haviam acertado e pagar a eles US$ 0,50 por questão certa. No segundo grupo, os estudantes foram instruídos a conferir o gabarito após a prova, rasgar seus livros de exercícios, colocar os rasgos em seus bolsos ou mochilas e simplesmente dizer ao pesquisador quantas questões haviam acertado.

As descobertas deste estudo foram incríveis. Dan Ariely e sua equipe descobriram que, quando as pessoas têm a possibilidade de trapacear, muitas trapaceiam. No primeiro grupo, onde os alunos não tinham a possibilidade de trapacear, a média de acertos foi de 3,5 questões. Já no segundo grupo, em que os alunos podiam destruir as evidências de suas trapaças e apenas informavam ao pesquisador quantas questões haviam acertado, a média de acertos foi de 6,2 questões. Este comportamento, segundo o estudo, independe de grau de instrução, raça, sexo ou criação familiar. E a prova disto é que este estudo foi realizado com alunos do MIT e outro estudo similar foi feito em Harvard, escolas tradicionais, que possuem alunos com valores extremamente éticos e provenientes de famílias tradicionais. Este estudo também descobriu que, apesar de a maioria das pessoas se utilizar de meios escusos, a intensidade das trapaças não foi muito grande. As pessoas trapaceiam só "um pouquinho", mas este "pouquinho" não retira deles a pecha de trapaceiros.

Porém, o fato mais curioso deste estudo é o que aconteceu com um terceiro grupo de estudantes. Este grupo foi instruído a seguir as mesmas instruções do segundo grupo (conferir o gabarito, rasgar seus livros de exercícios e dizer ao pesquisador quantas questões haviam acertado) com apenas uma diferença: o pesquisador não os pagava com dinheiro, ele lhes dava uma ficha para cada resposta correta e os alunos deveriam ir até outra sala para trocar as fichas por dinheiro. Os resultados foram preocupantes. Nestas condições, os alunos informaram ter acertado, em média, 9,4 questões – 51,6% a mais do que o segundo grupo e 168,6% a mais do que o primeiro grupo. Isto mostra que quanto mais longe as pessoas estão de ter contato físico com o dinheiro, mais elas tendem a trapacear. Este fato explica porque vemos tantos casos de corrupção feitos por executivos de empresas, manipulando os resultados e enganando os clientes para ganhar seus bônus. Após realizarem estes atos, estes executivos ainda devem seguir muitos passos até conseguir contato físico com o dinheiro, que, aliás, nem sempre acontece no nosso mundo atual de transferências online, pagamentos eletrônicos e cartões de crédito, o que leva a ainda mais desonestidade. Este estudo ainda explica porque a maioria das pessoas se sentiria mais culpada se roubasse dinheiro físico da empresa, mas não mostraria tanto remorso por ter imprimido algo pessoal no trabalho ou por ter levado uma caneta da empresa para sua casa. Apesar de estes itens terem um valor financeiro para a companhia e apesar de este comportamento causar um prejuízo para a mesma, as pessoas não sentem que, efetivamente, estão roubando dinheiro da empresa.

Estudos conduzidos pela prof. Francesca Gino, da Harvard, e outros colegas, mostram que o simples fato de ver notas de dinheiro já faz com que as pessoas trapaceiem, além disso, quanto maior a quantidade de dinheiro, maiores as trapaças[5]. Num experimento, estudantes foram separados em dois grupos para realizar uma tarefa, sendo que um dos grupos visualizou notas que somavam US$ 24,00 enquanto o outro grupo visualizou notas que totalizavam US$ 7.000,00. Qual dos dois grupos era o mais propenso a trapacear? Acredito que já saiba a resposta: o grupo que viu US$ 7.000,00.

Se o vendedor da sua equipe tem a possibilidade de ganhar uma grande quantia de dinheiro realizando uma venda, você acredita que ele irá pensar duas vezes antes de enganar um cliente, de invadir a região de um colega ou de segurar vendas, já fechadas, para o mês seguinte? Se você quiser manter uma imagem séria da sua empresa e não correr riscos, evite incentivar as pessoas com dinheiro.

DESIGUALDADE DE CONDIÇÕES

As regiões onde os vendedores atuam têm potenciais diferentes, clientes de portes diferentes e sofrem com sazonalidades diferentes. Isto gera ganhos diferentes para cada vendedor. Numa empresa, quando pessoas que realizam o mesmo trabalho e têm o mesmo cargo, ganham salários diferentes, a confusão está armada. Além de gerar conflitos, esta dispersão salarial causa uma pior performance geral da equipe, de acordo com um estudo da Stanford e da University of British Columbia[6]. Na questão jurídica, pode surgir um grande problema com esta estratégia, já que em muitos casos os vendedores podem pedir na Justiça uma equiparação salarial, usando como referência o profissional com o mesmo cargo, mas que ganha o maior salário. Outro problema, neste caso, é que geralmente não é o vendedor quem escolhe a sua região e, sim, o gerente. No sistema de comissionamentos, caso o vendedor tivesse a liberdade de escolher sua região, qual delas todos os vendedores escolheriam? Você acertou: a que tem maior faturamento. Na maioria das empresas, comissões irão gerar pior performance e mais comportamentos inadequados. Porém, se a sua empresa quer continuar insistindo nesta estratégia pouco eficiente, ela pode minimizar estas diferenças salariais. A empresa espanhola de fast fashion Zara é um exemplo disto. Na Zara, as comissões de todas as vendas são divididas igualmente entre todos os atendentes. Apesar de não ser este um sistema ideal de remuneração, ele já minimiza levemente alguns dos problemas que estamos analisando neste capítulo.

Mas não existe nada como assistir a um caso real sobre as consequências de oferecer incentivos diferentes para pessoas que fazem um trabalho igual. Em 2011, o professor da Emory University Frans de Waal mostrou, em sua apresentação no TED, um vídeo de um experimento que fez com macacos - cada macaco recebia uma recompensa diferente para realizar a mesma tarefa[7]. Procure o vídeo e veja você mesmo o que este tipo de tratamento desigual causa. E ainda tem gente que acha que os seres humanos não se comportam como macacos...

VÍCIO

Uma das descobertas mais fascinantes que o estudo de Edward Deci com o SOMA trouxe é o de que, após serem incentivadas financeiramente para resolver uma tarefa, as pessoas não conseguem mais resolvê-la sem os incentivos. O estudo com chimpanzés, realizado por Harry Harlow, mostrou o mesmo comportamento. O dinheiro, uma vez recebido, vicia as pessoas, fazendo com que elas nunca mais realizem o trabalho unicamente pela satisfação pessoal. O incentivo financeiro faz as pessoas trabalharem unicamente pelo salário – algo não sustentável atualmente, quando as empresas precisam de pessoas que deem o máximo de si, diariamente, e tenham paixão pelo que fazem e não de pessoas que dão apenas uma fração da sua dedicação para a empresa e estão lá apenas pelo salário.

Sem falar dos casos em que nem é preciso retirar o incentivo financeiro para que as pessoas percam a motivação interna. Basta que o incentivo diminua para que os efeitos apareçam. Como em muitos casos, as vendas de produtos e serviços são sazonais, basta um mês de fraco movimento para que a motivação e a disposição dos vendedores caiam bruscamente.

DIFICULDADE EM MUDANÇAS ESTRATÉGICAS

Imagine que sua empresa descobriu uma nova região onde o potencial de mercado é enorme. Você não pode dar esta região para qualquer vendedor, por isso, sua escolha é clara: você quer que o seu melhor vendedor atenda esta região. Acontece que este vendedor já está bem estabelecido numa determinada região e suas comissões são muito altas. Você acredita que este vendedor vai abrir mão de suas comissões altas para começar do zero o trabalho nesta nova região? Você acredita que ele irá aceitar "pagar" pela estratégia da empresa com a sua própria comissão? Pode estar certo que não! Perceba que o sistema de comissionamentos causa uma enorme dificuldade em realizar mudanças estratégicas: os vendedores sempre resistirão a uma mudança de região - mesmo que ela seja melhor para ele e para a empresa em longo prazo, pois eles estão condicionados a pensar apenas "no seu". Quem paga o preço por esta falta de flexibilidade? A empresa. O sistema de comissionamentos gera nas pessoas o pensamento de que o ganho do indivíduo é mais importante que o da equipe e até mesmo que o da empresa.

DESUNIÃO DA EQUIPE

Quando o seu funcionário é incentivado a vencer o próprio colega, causando o que as empresas chamam de "competição saudável" – sim, aquela competição que causa stress, infarto, obesidade e câncer[8] –, você pode estar certo de que a equipe será completamente desunida. O sistema de comissionamentos, explicitamente, faz cada vendedor entender que sua missão é buscar apenas a sua própria satisfação, que ele deve primeiro "garantir o seu". Ajudar o colega de trabalho neste sistema de competição é praticamente inaceitável. Se o cliente do João entrar na sua loja enquanto o João estiver no horário do almoço, outro vendedor não vai se esforçar para atendê-lo, já que não irá ganhar nada com isso. Um estudo da University of Minnesota mostrou que simplesmente pensar em incentivos financeiros faz as pessoas ficarem mais distantes umas das outras e a preferirem trabalhar sozinhas[9]. Este estudo também revelou que, num ambiente social, como o ambiente de trabalho, incentivar as pessoas a pensar em dinheiro fez com que elas adicionassem 30,5 cm de distância na posição de suas cadeiras em relação à do colega mais próximo. O comissionamento e a falta de segurança financeira fazem os vendedores criarem uma mentalidade de competição, enquanto deveriam ter uma mentalidade de cooperação. O ato de cooperar uns com os outros é uma característica humana, algo que nos fez crescer como sociedade. Nós funcionamos melhor em equipe do que individualmente e esta colaboração existe desde o surgimento da nossa espécie. Porém, apesar de grande parte das empresas afirmarem publicamente que incentivam o trabalho em equipe, suas estratégias não rimam com seus discursos, pois o que reina dentro de seus ambientes de trabalho é a competição. Apostar num sistema que vai contra uma característica natural das pessoas, que nos fez sermos o que hoje somos, não é algo inteligente nem recomendável dentro de uma empresa.

PRISÃO NO EFEITO TETRIS DA COMPETITIVIDADE

Quando os vendedores de uma empresa são incentivados a competir com seus colegas, todos os dias passam a ser como os de um jogo, onde eles precisam vencer a qualquer custo. Com o passar do tempo, esta competição frequente passa a causar no comportamento do vendedor o que os psicólogos chamam de Efeito Tetris[10]. A origem desta nomenclatura, obviamente, vem do famoso jogo de videogame, hoje presente nos celulares e tablets. Como todos sabem, o jogo consiste em encaixar uma fileira de blocos em espaços vagos na parte inferior da tela, de forma que eles se encaixem perfeitamente em tal espaço. Para que isto seja possível, o jogador pode girar os blocos e movimentá-los para ambos os lados. O fato é que jogar Tetris é extremamente viciante, muitas pessoas afirmam que o vício causado os faz confundir o mundo real com o jogo: eles passam a visualizar prédios encaixando em ruas, gôndolas de supermercado encaixando em espaços no teto, sofás encaixando embaixo de mesas, e assim por diante. Estas pessoas passam a enxergar um mundo onde tudo se remete ao jogo.

Da mesma forma, vendedores num ambiente competitivo passam a ficar empacados num Efeito Tetris de competitividade: mesmo quando estão fora de seus ambientes de trabalho, eles agem como se estivessem sempre competindo. Isto significa andar mais rápido do que os outros no trânsito, sempre buscar vencer uma discussão em casa, competir com os filhos no videogame, querer ser melhor do que os amigos, acumular mais riqueza do que os outros, ter um carro mais novo do que o do vizinho etc. Na minha breve atuação no mundo do futebol, conversei com o psicólogo de um clube que me afirmou que os jogadores - que competem todos os dias no treino e nos finais de semana nos jogos - levam esta competitividade para todas as áreas da sua vida. Durante as concentrações, por exemplo, eles competem de forma agressiva com seus colegas jogando baralho, videogame, sinuca etc.

Numa equipe de vendas, o interessante seria prender os vendedores num Efeito Tetris de Cooperação. Para que isto aconteça, devemos mudar a forma como remuneramos, estabelecemos metas, premiamos, gerenciamos e contratamos.

INCENTIVO AO PENSAMENTO DE CURTO PRAZO

Para um vendedor que precisa vender a qualquer custo para poder pagar as contas da sua casa, o hoje é infinitamente mais importante que o amanhã. Como ilustrado anteriormente, a insegurança financeira gera comportamentos antiéticos: se o vendedor tiver a oportunidade de enganar o cliente e vender algo que ele não precisa, provavelmente ele o fará, pois precisa desesperadamente pagar as suas contas e garantir a sua sobrevivência. Para este vendedor, não importa se o cliente nunca mais vai comprar, se a empresa está tendo a lucratividade desejada, se a empresa irá crescer ou até mesmo sobreviver nos próximos anos: o que importa para ele é conseguir pagar suas contas que vencem hoje!

A característica de ser imediatista é inerente na maioria dos seres humanos. Muitos de nós preferimos receber algo hoje do que receber algo maior no futuro. Prova disto é que, apesar de sabermos o quanto é importante poupar dinheiro para o futuro, 69% dos brasileiros não o fazem, segundo uma pesquisa realizada pela Serasa Experian[11]. Similarmente, todos nós sabemos que comer alimentos cheios de açúcar faz mal para a saúde em longo prazo, porém, não conseguimos controlar nossos impulsos imediatistas ao ver aquela deliciosa mousse de chocolate em cima da mesa.

Uma empresa que tem um sistema de remuneração que incentiva os vendedores a terem pensamentos imediatistas nunca irá fidelizar e encantar os clientes, restando o preço baixo como única estratégia para os atrair.

FALTA DE FOCO NO CLIENTE

Muitas pessoas já foram vítimas daquele tipo de vendedor que sempre está disponível enquanto o negócio não está fechado, mas que, após a compra, nunca mais dá as caras. Em inúmeras oportunidades, os produtos vendidos apresentam problemas e alguns serviços não são realizados com a qualidade prometida pelo vendedor, mas toda aquela agilidade, disponibilidade e comprometimento que o profissional de vendas teve para fechar o negócio desaparecem rapidamente após o fechamento da venda, principalmente quando surgem problemas.

Este comportamento não é reflexo do caráter do vendedor, ou de algum fenômeno que acontece exclusivamente com os profissionais da área comercial. A profissão de vendedor, inclusive, é extremamente (e injustamente) discriminada pela sociedade. Muita gente simplesmente tem pavor de vendedores. Na cabeça destas pessoas, o vendedor é um enganador, um trapaceiro, um profissional sem qualificação. Infelizmente, o próprio vendedor, em muitos casos, acredita que a sua profissão é de "segunda linha". É comum ouvirmos que a maioria dos profissionais de vendas escolhe esta função porque não conseguiu algo melhor, porque não teve sucesso em outras áreas, ou, simplesmente, porque não tem capacidade intelectual. Mas ser vendedor não é tarefa simples. Dominar a arte das vendas demanda estudo e prática, da mesma forma que a arte da Medicina, por exemplo, exige. Os vendedores não são uma classe profissional diferente das demais, seja no seu comprometimento, comportamento, capacidade ou honestidade. Aliás, falando deste último tópico, é muito comum vermos economistas, dentistas, médicos, engenheiros, administradores e advogados praticando atos desonestos, mas estas profissões não sofrem tanto com a discriminação injusta e imediata que se aplica ao vendedor. Entretanto, apesar de o vendedor não ser diferente dos demais profissionais nos quesitos honestidade e dedicação, o ambiente em que ele está inserido pode mudar radicalmente o seu comportamento.

Pelo fato de o vendedor, na maioria das vezes, ter grande parte de seu salário ligado a comissões e ser avaliado, principalmente, pela quantidade de vendas que realiza, o seu comportamento é um espelho que reflete exatamente os aspectos pelos quais ele é cobrado. Se tudo o que importa para a empresa é a quantidade de vendas, após o fechamento de um negócio, o vendedor irá concentrar todos os seus esforços no fechamento do próximo. Se o pagamento das despesas familiares do vendedor depende fortemente das comissões que ganha, ele nunca irá "perder o seu tempo" resolvendo o problema de um cliente que já comprou; ele irá focar sua atenção, atender as ligações e dar preferência às visitas aos clientes que estão em vias de fechar negócios.

O sistema de comissionamentos incentiva o vendedor a portar-se de forma que o distancia de ter um contato mais próximo com o cliente, de forma que esta distância o impossibilita de fidelizar o consumidor. O vendedor comissionado é um vendedor que prioriza o ato de vender e não, necessariamente, de satisfazer o cliente.

DESGASTE DO CORPO GERENCIAL

Um gerente de uma equipe comissionada e insegura é um gerente infeliz. Ao invés de acompanhar os vendedores em visitas, treiná-los, atender os principais clientes e desenvolver estratégias para aumentar as vendas, o gerente de uma equipe comissionada tem de ficar lidando com brigas, egos, orgulhos, desunião da equipe e invasões de área. Além desta enorme perda de tempo, o gerente deste tipo de equipe tem de refazer o plano de comissionamento de tempos em tempos. Por quê? Nenhum plano de comissionamentos é perfeito - sempre existe algum furo ou atalho que os vendedores usam para chantagear o sistema e ganhar mais dinheiro. Cobre-se um furo, abre-se outro com um novo plano de comissionamentos. E assim o gerente fica: acalmando ânimos e desenvolvendo planos de comissão, ao invés de realizar o papel para o qual foi contratado e pelo qual a sua performance é avaliada.

BLOQUEIO DA CRIATIVIDADE

Em 1962, o professor Sam Glucksberg, da Princeton University, decidiu replicar um famoso estudo sobre criatividade para resolver tarefas[12]. O estudo pioneiro, desenvolvido pelo psicólogo alemão Karl Duncker e publicado em 1945, foi batizado de Problema da Vela[13]. Neste estudo, os participantes entravam numa sala onde havia uma mesa encostada num dos cantos, a parede da sala era de madeira. Em cima da mesa, havia uma vela, uma caixa de fósforos e uma caixa com tachinhas, conforme a figura a seguir.

A missão dos participantes era colocar a vela numa altura superior à da mesa e acendê-la, porém, eles não poderiam deixar a cera da vela cair em cima da mesa. Alguns participantes, antes de acender a vela, decidiam resolver o problema enfiando tachinhas na vela e tentando fixá-la na parede de madeira, outros tentavam derreter um dos lados da vela com um fósforo aceso e grudá-la na parede a uma altura acima da mesa. Ambos os métodos não funcionavam: depois de acender a vela, a cera caia em cima da mesa e, muitas vezes, a própria vela caia.

Como resolver este problema? A solução não é tão simples como imaginamos, por causa de um fator chamado de fixação funcional[14]. Este fator mostra que o ser humano tem dificuldades em resolver problemas em que a solução não é de fácil visualização, em que a solução pode estar escondida, em que criatividade venha a ser exigida. No caso do Problema da Vela, a fixação funcional faz com que um dos elementos do estudo não seja percebido pelos participantes como a solução para o problema, mas sim como parte do problema. Para ilustrar o que a fixação funcional realmente significa, nada melhor do que analisar a solução para o Problema da Vela:

Pelo motivo de a caixa que contém as tachinhas parecer ser parte do problema e raramente ser percebida como a solução para o mesmo, a maioria das pessoas tem dificuldades em resolver este problema.

Na replicação que Glucksberg fez em 1962, ele decidiu separar as pessoas em dois grupos, sendo que um dos grupos não receberia incentivos financeiros para resolver este problema e o outro grupo receberia US$ 5,00 ou US$ 20,00 (aproximadamente US$ 39,00 e US$ 156,00 atualmente) para resolver a tarefa, dependendo da velocidade com que a resolvessem. Os resultados? O grupo que poderia receber incentivos financeiros levou mais tempo para resolver a tarefa do que o grupo que não recebeu incentivos.

Glucksberg descobriu que em situações nas quais incentivos financeiros escassos são oferecidos, a tarefa transforma-se em competição, o que causa estresse nos participantes. Este estresse afeta o Sistema Nervoso Simpático, o que causa, entre outras coisas, o aumento da pressão sanguínea, a aceleração dos batimentos cardíacos e o aumento na transpiração. O Sistema Nervoso Simpático é ativado para que as pessoas respondam a situações de estresse como uma briga ou discussão, além de fazer com que muitas pessoas fujam quando estão em risco. Quando este sistema está sendo usado pelo seu corpo, o seu raciocínio lógico é praticamente desligado e você entende as situações como mais graves do que elas realmente são. O perigo deste tipo de situação é que quando você está estressado a área do seu cérebro responsável pela solução de problemas e pensamento criativo, o córtex pré-frontal, desliga. Isto significa que oferecer incentivos financeiros para um vendedor desliga justamente a área do cérebro que ele mais deve usar para ter sucesso.

CONCLUSÃO

Muitas empresas, ao adotar uma estratégia, esquecem o fato de que o ser humano tem um comportamento complexo. Além disso, muitas pessoas usam suas intuições sobre o comportamento humano para tomar decisões e formular estratégias, algo ineficiente, já que nós temos uma visão limitada e tendenciosa sobre nossos próprios comportamentos. Achamos que somos parte dos 16,7% que têm melhor performance com incentivos financeiros (enquanto somos parte dos 70,8%), que a motivação é sempre algo positivo, que nunca iremos trapacear, que somos diferentes dos outros etc. Muitos estudos até nos mostram que o ser humano tem um comportamento previsível, mas o problema é que nossas previsões - por não serem baseadas em estudos científicos - são completamente furadas.

Cientes das limitações que temos, sempre, antes de tomar uma decisão, deveríamos fazer um exercício de avaliação dos prós e contras relacionados a ela. Como vimos, a decisão de pagar comissões é uma unanimidade entre as empresas simplesmente porque alguma empresa começou com esta política e as demais decidiram segui-la cegamente. Copiar a estratégia de outra empresa é sempre um caminho fácil, afinal, as companhias pensam que, se os executivos de outra empresa adotaram certa estratégia, provavelmente eles já a discutiram, pesaram os prós e os contras, testaram sua eficiência e assim por diante, o que poupa todo este tempo para as empresas que simplesmente digitam Ctrl V. Cuidado! Esta mania de usar o *benchmarking* como salvação é perigosa: uma estratégia que é sucesso em uma empresa pode ser um fracasso em outra, principalmente quando falamos de estratégias que não têm base científica. Nos congressos e encontros em que participo como palestrante, percebo que as empresas adoram mostrar suas melhores práticas para as demais. Melhores práticas de uma empresa podem ser as piores práticas para as demais.

Se as empresas fizessem o exercício de pesar as vantagens e as desvantagens da estratégia de comissionar os vendedores antes de implementá-la, provavelmente elas poderiam chegar sozinhas às conclusões apresentadas até aqui: os fatores negativos das comissões superam exponencialmente os positivos.

Capítulo 3

O PODER DA SEGURANÇA FINANCEIRA

Outro fator que gera uma pior performance em vendas e em outras atividades profissionais é a insegurança financeira. Quando o vendedor, por exemplo, não sabe se vai conseguir pagar suas contas do mês, ele sai de casa pensando em como vender de qualquer jeito, não em como vender melhor. O sistema de comissionamentos é o culpado por isto. Este tipo de pensamento imediatista gera comportamentos que conhecemos bem: trapaça, desonestidade, preços inflados ou descontos excessivos, falta de cooperação com a equipe, pensamento de curto prazo, entre diversos outros. Quando o vendedor não sabe se vai conseguir pagar a escola do seu filho ou as compras do mercado, se ele tiver a oportunidade de enganar o cliente para que ele pague mais caro, o que irá acontecer? E se ele sentir que irá perder uma negociação se não chegar ao valor mínimo, o caminho mais fácil é pensar em alternativas para justificar um preço mais alto ou simplesmente dar o desconto que o cliente pediu? Perceba que a falta de segurança financeira causa comportamentos que dificilmente as empresas levam em consideração. Estes malefícios da insegurança financeira não causam apenas danos de curto prazo. Estudos mostram que o fato de uma pessoa enfrentar dificuldades financeiras constantemente está ligado com uma série de problemas de saúde, entre eles as doenças cardíacas e o câncer[1]. As empresas deveriam estar mais cientes de que os fatores que causam problemas para o funcionário também causam problemas para a empresa.

As empresas pagam comissões pensando apenas nos aspectos positivos, como o aumento da motivação do vendedor e as despesas com folha de pagamento de acordo com o faturamento; poucas fazem esforço para perceber que os aspectos negativos têm impactos infinitamente superiores aos positivos. A falta de segurança financeira junto com o plano de comissionamentos, além de gerarem pior performance e acabarem com a motivação interna, trazem diversos outros malefícios já apresentados.

Felizmente, existe uma forma fantasticamente simples de remunerar vendedores que acaba com muitos problemas apresentados nos capítulos anteriores. Além disso, esta forma de remunerar vendedores possibilita que eles tenham uma performance muitíssimo superior e tragam resultados que a sua empresa nunca imaginou que poderiam ser possíveis.

UMA SIMPLES SOLUÇÃO

Cientes de todos os problemas que a insegurança financeira e o plano de comissionamentos causam, algumas empresas estão seguindo uma estratégia completamente diferente daquela que a maioria das companhias utiliza e estão alcançando resultados incríveis. Companhias como Apple, DPaschoal, Best Buy e System Source tomaram uma decisão bastante simples: cortaram a comissão de suas equipes de vendas. Estas empresas passaram a pagar um salário fixo mais alto para seus vendedores, equivalente ao que eles ganhariam com comissões e com o salário-base somados. Esta estratégia simples trouxe resultados dificilmente vistos em empresas que confiam no plano de comissionamento.

RESULTADOS MAIS DO QUE INCRÍVEIS

Vejamos o que aconteceu na SystemSource, uma empresa americana que eliminou as comissões de sua equipe de vendas em 1994. Numa conversa recente que tive com Maury Weinstein, CEO da empresa, ele me informou que um ano após o corte das comissões, as vendas da SystemSource aumentaram 44%, os lucros triplicaram, o faturamento e a margem bruta da empresa cresceram por seis anos consecutivos e a informação mais incrível é a de que a taxa de rotatividade voluntária de vendedores da companhia em 2014 foi de apenas 2,7% - uma transformação surpreendente se analisarmos o que acontece no mercado brasileiro, onde esta mesma taxa é de 64% no setor de comércio[2]. No meio de sua trajetória, a

SystemSource decidiu abandonar seu foco em vender produtos e passar a vender serviços, uma mudança que acarretaria uma diminuição brusca em faturamento e vendas por um bom tempo. Esta mudança só foi possível, nas palavras de Weinstein, por causa do salário fixo que os vendedores recebiam. Nenhum vendedor comissionado se sujeitaria a diminuir bruscamente seus ganhos porque o CEO da empresa decidiu mudar a estratégia da companhia. Com um salário fixo, não são os vendedores que "pagam" pela mudança estratégica da empresa.

Já na empresa inglesa RedGate, o CEO Simon Galbraith revelou que o plano de comissionamentos da companhia estava fazendo com que as pessoas almoçassem em suas mesas, tomassem pouca água para não sentirem vontade de ir ao banheiro e ficassem até bem mais tarde no escritório, tudo porque seus salários e seus empregos dependiam fortemente de suas vendas e do atingimento das metas. Galbraith contou em um post no blog da empresa que as comissões faziam com que as pessoas se importassem apenas com o atingimento das metas, deixando de lado a satisfação do cliente, amizades no ambiente de trabalho, tempo com suas famílias etc. Durante o período em que a equipe da RedGate era comissionada, a empresa, apesar da política restrita de descontos, observava os vendedores ignorarem as regras ofertando descontos para fechar negócios imediatamente com os clientes. Galbraith ficava furioso com este tipo de comportamento, mas nada podia fazer, pois estava pagando para as pessoas se comportarem desta forma. Como consequência, a empresa estava vendo seus custos com comissões aumentarem enquanto o faturamento da empresa continuava no mesmo nível. Ao cortar as comissões, a RedGate viu seu faturamento crescer, sua lucratividade aumentar, seus custos com vendas diminuírem e seu turnover cair. Viu também as suas vendas não dependerem unicamente dos últimos dias do mês e a colaboração entre as pessoas aumentar. Além disso, numa conversa por e-mail que tive com o Simon Galbraith, ele me contou que a RedGate conseguiu um equilíbrio na performance de todas as pessoas da equipe comercial, o que dificilmente acontece em empresas que pagam comissões, pois elas dependem fortemente da performance dos "16,7%" dos vendedores[3]. Ele me expos que a empresa parou de depender quase exclusivamente daqueles "um ou dois" vendedores que fechavam grande parte dos negócios: a equipe toda passou a vender mais e os resultados de cada vendedor praticamente se igualaram. Parece que tudo o que aqueles 70,8% das pessoas que tinham uma pior performance, quando comissionados, precisavam para ter um melhor desempenho era a segurança financeira.

Estes números e fatos mostram que pagar um salário fixo para uma equipe de vendas pode melhorar exponencialmente os resultados de uma empresa, além disso, também mostram que dificilmente os vendedores se acomodam ou trocam de emprego quando a empresa lhes oferece segurança financeira. Quem é que vai se aventurar a ganhar um pouco mais numa empresa que paga comissões sabendo que o seu salário fixo será baixo e que todo mês ele sofrerá imensamente com o fato de não saber se irá conseguir pagar suas contas? Quem sai mais tranquilo para fazer uma venda: o vendedor que começa o mês com um salário fixo baixo ou aquele que começa o mês com a certeza de que suas contas serão pagas?

Outra empresa americana que chocou o mercado recentemente foi a Gravity Payments. O CEO da empresa, Dan Price, depois de ouvir um funcionário dizer que ele o estava "roubando", pois recebia um salário baixo para os padrões americanos enquanto Dan recebia um salário milionário, decidiu dar segurança financeira para todos os seus 120 funcionários. Em abril de 2015, ele anunciou um plano de aumentos gradativos aos funcionários durante três anos seguidos até que todos atingissem um salário anual mínimo de US$ 70.000,00. Dan ajustou inclusive o seu próprio salário, que caiu de US$ 1,1 milhão para US$ 70.000,00. Desde 2012, Dan já havia dado aumentos de 20% nos salários de todos os funcionários, observando um crescimento nos lucros da empresa e, principalmente, na produtividade dos funcionários, que aumentou entre 30% e 40%. Seis meses após o anúncio do salário mínimo de US$ 70.000,00, o faturamento e os lucros da empresa dobraram em comparação com o mesmo período do ano anterior, o índice de retenção de clientes da empresa cresceu para 95% e apenas dois funcionários pediram a conta[4]. Parece que tudo o que é bom para os funcionários também é bom para as empresas.

O FIM DA "EMPURROMETRIA"

Luis Norberto Pascoal, presidente da DPaschoal, percebeu que algo de errado estava acontecendo em sua companhia. Apesar de a DPaschoal primar pela excelência no atendimento desde a sua fundação, o índice de satisfação de seus clientes estava insatisfatório, algo que tirava o seu sono. Disposto a fazer de tudo para que seus clientes ficassem mais satisfeitos,

Luis Norberto visitou diversas lojas de sua rede para descobrir o que estava acontecendo e para analisar o comportamento de sua equipe ao atender os clientes.

Ele percebeu que o cliente, ao chegar numa loja da DPaschoal, frequentemente imaginava que seu carro tinha poucos problemas, mas acabava descobrindo, durante o atendimento, que o seu automóvel tinha diversos outros: pneus carecas, amortecedores danificados, falta de alinhamento, balanceamento irregular e por aí vai. O cliente chegava com a expectativa de solucionar seu problema e gastar pouco, mas gastava bem mais do que o planejado. Ao analisar mais de perto a situação, Luis Norberto teve uma visão clara do que estava acontecendo. Ao questionar seus funcionários sobre o motivo pelo qual eles trocavam amortecedores em bom estado dos carros dos clientes, recebeu a resposta de que o fabricante indicava que a peça deveria ser trocada de acordo com a quilometragem do veículo. Além disso, os vendedores lhe mostraram que tinham metas para bater e que, muitas vezes, o dinheiro falava mais alto do que a ética. Bingo. As metas levavam os vendedores a terem comportamentos inadequados. Sem falar que existia outro interesse por trás deste comportamento: os vendedores ganhavam comissões sobre cada venda. Enquanto os vendedores ganhavam, a empresa perdia.

Ciente de que a culpa pelo fato de a satisfação dos clientes estar baixa era do próprio sistema de remuneração e das metas da empresa, Luis Norberto decidiu acabar com o pagamento de comissões e trocar as metas financeiras por metas não financeiras, em que passou a avaliar a atitude de cada atendente e, também, os índices de satisfação do cliente. Esta onda de mudanças veio com uma campanha chamada Economia Verde DPaschoal, onde todos os funcionários foram conscientizados dos impactos ambientais que a empresa poderia reduzir ao trocar as peças dos automóveis dos clientes somente quando havia real necessidade. "Medir e testar antes de trocar" diz o slogan da campanha Economia Verde.

A mudança mexeu com muitas pessoas, principalmente com aquelas que acreditavam na falsa ilusão de que incentivos financeiros proporcionam melhores resultados e com as que acreditavam que dinheiro trazia felicidade, enquanto na verdade a Ciência nos mostra que, primeiro, devemos ser felizes para então ter sucesso e dinheiro[5]. Por estes motivos, diversos funcionários preferiram deixar a DPaschoal. Sorte dos que ficaram: alguns anos após a mudança, a DPaschoal conseguiu um aumento significativo no índice de satisfação dos clientes, quando o Net Promoter Score da companhia passou de 52 para 84, o que significa que de cada 100 clientes 98 classificam os serviços da DPaschoal de forma extremamente positiva. Além disso, a mudança ajudou a DPaschoal a alcançar o recorde de faturamento da companhia, em mais de 60 anos de história.

Luis Norberto Paschoal disse, numa conversa que tivemos, que o principal motivo pelo qual a companhia decidiu acabar com o pagamento de comissões foi para terminar com a "empurrometria", a prática que o vendedor tinha de vender mais do que o cliente precisava. Mal sabia ele que o fim da "empurrometria" praticada pelos vendedores, por mais contraditório que pareça, iria resultar num impulso sem precedentes nos resultados de sua empresa.

ZONA DE CONFORTO QUE CAUSA DESCONFORTO

Você acha que o vendedor que ganha salário fixo e, consequentemente, sabe que as suas contas estão pagas, vai ficar na "zona de conforto" ou avacalhar com os resultados da empresa, sabendo que, se ele perder este emprego, sua segurança financeira estará arruinada e que a sua vida será difícil e insegura novamente se voltar a trabalhar numa empresa que remunera com base em comissões?

Uma das dúvidas mais frequentes que as pessoas têm quando eu lhes apresento esta estratégia é justamente relacionada com a última pergunta que eu fiz. Poucas pessoas atentam no fato de que pagar um salário fixo alto não é algo inovador e, sim, uma estratégia que já faz parte da prática adotada pela maioria das empresas: os funcionários de quase todos os setores já ganham salários fixos. Isto faz com que as equipes do financeiro, do marketing, da logística, da contabilidade, do RH e dos demais setores sejam acomodadas? O fato de elas ganharem um salário fixo alto faz com que elas não batam suas metas ou não se dediquem no trabalho? Dificilmente. O prof. Harry Harlow, mencionado no capítulo anterior, fez mais uma descoberta importantíssima no seu estudo com macacos em 1949. Ele concluiu que, ao contrário do que as pessoas acham, o ser humano é dedicado, curioso e motivado naturalmente[6]. Quando Harlow colocou macacos para resolverem um quebra-cabeças dentro de uma jaula, ninguém precisou mandá-los trabalhar. Eles passaram a tentar resolver sozinhos o problema. Isto mostra sua dedicação. Quando entravam na jaula para resolver a tarefa, eles iam imediatamente lidar com a mesma, para ver o que era aquela coisa nova: uma demonstração de curiosidade. Logo após terem resolvido as tarefas, os macacos demonstravam grande satisfação por terem sido bem-sucedidos mostrando sua motivação natural. Todos os seres humanos têm as mesmas características. Portanto, achar que os vendedores irão se acomodar ao ganharem salário fixo alto é mais um mito. Todos nós nascemos dedicados, sendo que um dos maiores motivadores internos do ser humano é o desenvolvimento pessoal: sermos cada vez melhores no que fazemos[7]. Para provar que a "zona de conforto" é mais baseada na intuição do que na realidade, basta analisarmos o que aconteceu num experimento, realizado em 1954, pelos professores canadenses William Bexton, Woodburn Heron e Thomas Scott. O estudo fez com que alguns alunos universitários recebessem US$ 20,00, diariamente, para fazerem absolutamente nada. Isso mesmo. Os alunos foram pagos para ficar na "zona de conforto". Além de dinheiro, eles ainda recebiam comida e todas as suas outras necessidades básicas eram atendidas. Confortável o bastante, não acha? Nem tanto. Entre quatro e oito horas após o início do experimento, os alunos começaram a ficar entediados e infelizes. Segundo os autores do estudo, os participantes "desenvolveram uma necessidade por qualquer tipo de estímulo". A verdade é que os participantes do experimento estavam lá por que precisavam de dinheiro e, na época, US$ 20,00 por dia representava muito mais do que um estudante universitário conseguiria ganhar. Mesmo assim, todos eles ficaram cansados de não fazerem nada ao ponto de um participante desistir do experimento para começar a trabalhar em um serviço pesado cuja remuneração não passava de US$ 8,00 por dia[8].

O ser humano não é naturalmente preguiçoso nem sequer evita o trabalho. O que faz com que, muitas vezes, tenhamos fraco desempenho em nossos trabalhos são as estratégias que seguimos e os ambientes nos quais estamos inseridos. Uma estratégia de comissionamentos faz com que apenas uma minoria possa vencer, o que faz com que esta minoria seja erroneamente classificada como dedicada e a maioria seja injustamente avaliada como preguiçosa. Por outro lado, um sistema de remuneração fixa proporciona a todos a possibilidade de vencer.

Se a sua empresa tiver um ambiente de trabalho ruim, certamente as pessoas deixarão de dar o máximo de si e os desempenhos delas serão igualmente ruins.

EXPERIÊNCIA DE COMPRA

Eu não gosto de fazer propaganda, mas confesso que sou um Apple-maníaco. A Apple não faz apenas produtos fantásticos, ela é uma empresa fantástica – ao menos até este momento. Nas minhas últimas visitas a Apple Stores (uma na Inglaterra e outra nos Estados Unidos) eu pude perceber um padrão de atendimento que passa despercebido pela maioria das pessoas.

Na Inglaterra, fui comprar um computador e logo me apaixonei por uma máquina: pronto, é essa que eu vou levar. Neste meio tempo, aproximou-se um vendedor e eu me adiantei dizendo que já havia escolhido o computador que iria comprar. Ele me olhou sério e perguntou qual era a minha profissão. Eu disse que era professor universitário. Ele então me perguntou se eu editava vídeos ou imagens, usava programas pesados, planilhas grandes ou algo parecido. Eu disse que não. E aí veio a surpresa. Ele me disse rindo: "O senhor não vai comprar este computador! Ele é demais para o senhor". Eu fiquei curioso. Ele me explicou que como usava apenas programas "normais" eu poderia levar um outro modelo que iria me atender muito bem. O modelo sugerido por ele custava £ 300,00 a menos. Como um ex-executivo que passou a carreira toda trabalhando com vendas, eu nunca havia presenciado uma situação parecida: o vendedor me fez desistir de comprar um produto mais caro para me vender um mais barato. Mas a explicação veio logo em seguida, quando ele me disse: "Eu até poderia lhe vender o mais caro, mas o senhor pode ficar tranquilo porque como eu não ganho comissão estou aqui para ajudá-lo a tomar a melhor decisão". Uau!

Já nos Estados Unidos, fui comprar um iPhone do modelo mais recente da época. Cheguei à loja e vi um aparelho com as mesmas configurações do meu antigo celular. Quando a vendedora veio me atender ela me perguntou o que eu estava procurando e eu disse a ela que queria comprar o iPhone de 32GB. Ela me perguntou se eu já tinha um iPhone. Disse que sim e ela pediu para ver o meu telefone. Depois de alguns minutos mexendo no meu telefone, a vendedora me proporcionou a mesma surpresa que tinha tido na Inglaterra! Ela me disse que eu não precisava de um telefone de 32GB, pois meus aplicativos, músicas e livros não ocupavam toda esta capacidade, por isso, sugeriu que eu comprasse um de 16GB - US$ 100,00 mais barato. Ao final, ela me informou que não ganhava comissões e que o trabalho dela era me ajudar a tomar a melhor decisão. Este tipo de situação mostra a preocupação da Apple em oferecer os produtos certos até mesmo para os clientes que já compram e já conhecem os seus produtos, mas que podem estar usando um equipamento inadequado para o seu dia a dia.

Obviamente, em ambos os casos, o meu ticket médio na loja não foi reduzido. Como todo consumidor moderno, eu já tinha uma expectativa de quanto iria gastar na loja - expectativa que foi quebrada positivamente quando descobri que iria gastar menos. De qualquer forma, como eu já havia planejado gastar um determinado valor, o dinheiro que economizei efetivamente na compra do computador e do telefone foi gasto em acessórios. A Apple não perdeu nada ao me oferecer produtos mais baratos, aliás, ela ganhou: este tipo de experiência faz com que eu pense mil vezes antes de trocar meu computador, telefone, tablet ou qualquer outro eletrônico por outra marca. Além disso, ela ganhou por eu ter entrado com uma expectativa na loja e saído com uma expectativa ainda melhor, que me deixou com uma imagem ainda melhor da Apple. Com isso a empresa me conquistou utilizando-se do fator mais importante para a fidelização de um cliente: a Experiência de Compra.

Um estudo feito em 2009 pelo Conselho Executivo de Vendas dos Estados Unidos, realizado em 11 países diferentes e com uma amostra de 5.000 empresas, descobriu que a Experiência de Compra é responsável por nada menos do que 53% da fidelização de um cliente. Isto significa que os outros fatores mais citados pelos clientes - a força da marca, os produtos/serviços e a relação custo benefício - somados resultam em apenas 47% de fidelização (19% + 19% + 9%)[9]. Por este motivo, empresas que querem ter clientes fiéis devem investir cada vez mais na Experiência de Compra: cada centavo que a empresa gasta para divulgar seus produtos ou serviços da forma tradicional é um centavo a menos para ser investido na Experiência de Compra.

Como é a Experiência de Compra do seu cliente? Sua loja tem fila? É complicado comprar da sua empresa? É preciso clicar diversas vezes para comprar seu produto na internet? É necessário assinar um contrato de 50 páginas antes de comprar? O seu prazo de entrega é muito longo? A sua loja é limpa, bem organizada e bem iluminada? Sua empresa aceita pagamentos com cartões? Seu vendedor, que recebe comissão, fica tentando empurrar aos clientes produtos que ele, cliente, não quer? Seus vendedores brigam na frente do cliente para decidir de qual deles é a vez? O consultor que atende está ali para ajudar o cliente a tomar a melhor decisão ou ele quer apenas tomar a melhor decisão para o bolso dele? O gerente da sua empresa dá dicas sobre o mercado para que os clientes possam obter melhores resultados? Os seus atendentes sorriem para os clientes? Tudo isto vai gerar uma Experiência de Compra positiva ou negativa para o cliente, por isso, as empresas devem atentar em todos os detalhes para que tudo seja perfeito.

Empresas como a Zappos.com entendem verdadeiramente a importância da Experiência de Compra. A Zappos, que vende sapatos pela internet, e, hoje, faz parte da Amazon, tudo faz para que o seu cliente tenha uma experiência fantástica: oferece surpresas junto com as encomendas; dá upgrades de entrega que fazem com que o cliente receba o sapato antes do que imaginava; ajuda o cliente a comprar no site de concorrentes caso o sapato que ele procura não exista mais no estoque; aceita devoluções por até um ano depois da compra; paga o frete de ida e de volta em casos de trocas ou devoluções de produto e tem um centro de distribuição que trabalha 24 horas por dia, o que faz com que, em muitas regiões dos EUA, o cliente compre o seu sapato até meia-noite e o receba às 8 horas da manhã do dia seguinte. Além disso, a cultura organizacional da empresa é algo fantástico. Para ilustrar isto, basta dizer que, hoje em dia, uma vaga de trabalho na Zappos tem mais concorrência do que uma vaga para estudar na Harvard[10]. Os atendentes do SAC da Zappos passam por um treinamento extremamente rigoroso para atender os clientes e o fazem de forma exemplar, o que levou a empresa a ser ranqueada, por diversas vezes, como o melhor serviço de atendimento ao cliente dos EUA[11]. O CEO da Zappos, Tony Hsieh (pronuncia-se Chei), disse numa entrevista para o jornal *The Guardian* que a empresa reverte todo o dinheiro que iria gastar em publicidade para investir no atendimento ao cliente. "Trate as pessoas de forma incrível e elas contarão para os seus amigos", disse Hsieh[12]. Segundo ele, quem faz o marketing da Zappos são os próprios clientes. Este princípio também é compartilhado pela DPaschoal e não é à toa que quando os vendedores da empresa passaram a ganhar salários fixos eles geraram uma melhor Experiência de Compra para os clientes, o que fez com que os níveis de satisfação dos mesmos dessem um grande salto, uma vez que os clientes passaram a indicar os serviços da empresa para seus amigos.

MARKETING EFICIENTE E GRATUITO

Companhias como a Apple e a Zappos nunca perdem por serem honestas com seus clientes, mesmo que isto signifique menos faturamento ou até menos lucratividade no curto prazo. Mas, em longo prazo, estas empresas aumentam de forma exponencial o faturamento e o lucro.

Na minha experiência com a Apple, a empresa não ganhou só porque eu continuei gastando aquilo que já havia planejado, mas também porque eu conto estas experiências fantásticas que tive para meus amigos, em minhas palestras, treinamentos e aulas, além de estar contando agora para todos vocês, caros leitores.

A Apple não é ingênua: a companhia sabe que surpreender o cliente incentiva o famoso marketing boca a boca, que é a forma mais eficiente de se fazer marketing, de acordo com estudos científicos[13]. Num mundo totalmente online, poucas empresas sabem que apenas 10% das indicações de produtos acontecem na internet: 90% das indicações de produtos acontecem em conversas informais, o que é a essência do marketing boca a boca[14]. As empresas atualmente estão tão preocupadas em atingir o cliente por mídias sociais e por outras ferramentas online que até esquecem que as interações mais frequentes e confiáveis que temos acontecem off-line. Todos nós falamos sobre o novo aparelho eletrônico que compramos, sobre o aplicativo fantástico que baixamos, sobre o novo carro que adquirimos, sobre o restaurante bacana em que fomos com nossa esposa ou marido, sobre a nova série que estamos assistindo ou sobre o atendimento especial que tivemos em certa loja. Se você fizer uma contagem sobre o número de vezes que você menciona esta ou aquela empresa ou este ou aquele produto no seu dia a dia, sem ao menos perceber que está fazendo uma propaganda positiva ou negativa, você ficará surpreso. Quando um post no Facebook me diz que certo produto é o melhor do mundo, eu não acredito, pois todas as outras empresas falam a mesma coisa. Mas quando o meu melhor amigo me fala que certo restaurante é sensacional, eu confio, pois meu amigo não vai me colocar numa furada. Numa época na qual 90% das propagandas de televisão são ignoradas pelos espectadores e que os consumidores não confiam mais em certas propagandas e que até mesmo se irritam ao terem seus momentos de prazer interrompidos por elas, as empresas devem atentar cada vez mais em investir em ações que gerem o marketing boca a boca. Melhorar a Experiência de Compra do cliente é uma delas, talvez a melhor.[15]

A MORTE DO CONFLITO DE INTERESSES

Quando os vendedores da Apple me disseram que não ganhavam comissões, outro fator psicológico entrou em jogo, algo que influenciou diretamente minha decisão de compra.

Toda vez que um cliente está negociando com um vendedor, ele entra na negociação desconfiado, com aquela sensação que muitos chamam de "ficar com um pé atrás". O cliente sempre quer comprar algo da melhor qualidade possível, pelo menor preço possível, mas isto, na maioria das vezes, não é possível, pois ele tem um inimigo: o vendedor. Na cabeça do cliente, o vendedor é aquele que quer vender algo da menor qualidade possível pelo maior preço possível. Além disso, o cliente sempre tem a ideia de que o vendedor tem outro interesse maior do que ajudá-lo a tomar uma boa decisão: o de ganhar uma gorda comissão. Desta forma, o cliente sempre acredita que na relação dele com o vendedor existe um Conflito de Interesses, ou seja, que as duas partes têm objetivos contrários.

Minha experiência de compra na Apple mostra que esta imagem de Conflito de Interesses na cabeça do cliente pode sumir em segundos. No momento em que os vendedores me fizeram mudar de ideia para comprar o mais barato, meu nível de confiança neles aumentou, diminuindo este nível de conflito - algo extremamente positivo. Mas o ápice desta experiência se deu no momento em que os vendedores me falaram que não ganhavam comissões e que, por isso, iriam me ajudar a tomar a melhor decisão. Neste momento, eu passei a enxergar o vendedor como um parceiro, como alguém que está do meu lado na negociação, como alguém que quer me ajudar, e não como alguém que quer apenas ganhar uma comissão nas minhas costas ou alguém que é meu inimigo ou alguém que tem interesses opostos aos meus.

A sensação de que o vendedor está do lado do cliente na negociação faz com que, na cabeça do cliente, surja um princípio chamado de Simpatia; novamente ilustrado por Robert Cialdini em seu livro Influência, a Psicologia da Persuasão[16]. Cialdini explica que a Simpatia é uma arma da persuasão, pois diversos estudos mostram que preferimos fazer negócios com pessoas com as quais simpatizamos, de quem gostamos e com quem temos similaridades. Quando, numa negociação, um vendedor fala que irá conversar com o seu gerente para ver se consegue um preço melhor para o cliente, é exatamente este princípio que ele está usando, pois o cliente passa a entender que o vendedor está do seu lado, que tanto ele quanto o vendedor têm os mesmos interesses. Da mesma forma, quando um vendedor diz ao cliente que não ganha comissões e que sua função é ajudá-lo a tomar a melhor decisão, o cliente deixa de enxergá-lo como um inimigo e passa a entender que ele é seu parceiro, gerando Simpatia.

Ao implementar a estratégia de pagar um salário fixo ao vendedor, é de importância fundamental treinar a equipe de vendas para que o cliente saiba que eles não ganham comissões. Isto irá gerar experiência de compra e simpatia e poderá acabar com qualquer conflito ou desconfiança na cabeça do cliente. E, além de tudo, irá garantir a fidelidade do cliente. Vale lembrar que um cliente fiel e satisfeito é um cliente que faz propaganda gratuita para a sua empresa.

CONCLUSÃO

Como se pôde perceber, nesta primeira parte do livro, a ciência aplicada aos negócios traz resultados dificilmente alcançados pelos modelos tradicionais de estratégia, os quais são baseados em intuições, experiências passadas e benchmarking. Mais importante, porém, é a transformação que a Ciência provoca na forma de pensar das pessoas. Estou quase certo de que você, caso fosse questionado sobre a melhor forma de remunerar os vendedores antes de ter contato com todos estes estudos, provavelmente responderia automaticamente que esta forma envolve o pagamento de comissões. Este tipo de resposta é extremamente comum em qualquer ambiente de negócios, afinal, os executivos nem sempre questionam a eficiência das estratégias que seguem, principalmente daquelas utilizadas pela maioria das empresas. Eu também já fui assim. Consegui mudar graças aos anos de contato com a Ciência e com as suas descobertas incríveis. Não tenho dúvidas de que você também está inclinado a mudar, mas, antes disto, preciso mostrar algumas outras descobertas importantes que fiz sobre a melhor maneira de premiar e incentivar vendedores, estabelecer metas e controlar a performance de uma equipe de vendas.

Parte 1
RESUMO

• *Incentivos financeiros funcionam exclusivamente em tarefas que exigem apenas habilidades motoras (força física e coordenação motora).*

• *Em tarefas que exigem habilidades cognitivas (inteligência, criatividade), incentivos financeiros geram pior performance.*

• *A possibilidade de ganhar comissões faz com que, via de regra, o nível de motivação dos vendedores aumente expressivamente, o que resulta em pior performance.*

• *O sistema de comissionamentos possibilita que apenas uma parte dos vendedores tenha melhor performance. Para ter melhores resultados, uma empresa deve utilizar um sistema de remuneração no qual todos os vendedores possam ter sucesso.*

• *A estratégia que uma empresa segue é mais importante para a sua performance do que a vontade e a disposição dos vendedores.*

• *O desempenho de um vendedor não depende exclusivamente de sua vontade própria, de sua disposição e de suas habilidades comerciais, pois está fortemente ligado a fatores externos relacionados com a estratégia da empresa.*

• *Vendedores excelentes, numa empresa com estratégia pobre, terão baixo desempenho. Vendedores medianos, numa empresa com estratégia excelente, terão uma performance igualmente excelente.*

• *Incentivos financeiros acabam com a motivação interna das pessoas, que é o tipo de motivação relacionada com a satisfação em trabalhar.*

• *Comissões incentivam a trapaça e a desonestidade, não promovem a igualdade de condições no ambiente de vendas, viciam os vendedores, fazem com que mudanças estratégicas tornem-se difíceis para a empresa, desunem os vendedores, fazem com que os vendedores queiram competir em todos os aspectos de sua vida, incentivam o pensamento de curto prazo, desgastam o corpo gerencial da empresa e bloqueiam a criatividade dos vendedores.*

• *Dar segurança financeira para a equipe de vendas é a chave para acabar com todos estes problemas.*

• *Pagar um salário fixo alto para os vendedores é a melhor forma de remuneração.*

• *Empresas que cortaram as comissões de suas equipes e passaram a pagar um salário fixo alto passaram a atingir resultados muito superiores aos que tinham quando usavam o sistema de comissionamentos.*

• *Vendedores inseguros financeiramente saem de casa pensando que, se não venderem, não conseguirão pagar suas contas, o que, naturalmente, piora a performance dos mesmos.*

• *Vendedores com segurança financeira, que sabem que suas contas estão pagas, saem de casa pensando em como vender mais e melhor, pois suas necessidades básicas já estão atendidas.*

• *Vendedores que ganham um bom salário fixo não empurram produtos, não mentem para o cliente e não pensam apenas no agora, diferentemente dos vendedores comissionados.*

• *Pagar um salário fixo de bom nível fará com que o vendedor passe a se dedicar mais, pois ele não quer correr o risco de ser demitido e, assim, voltar a ter uma vida de insegurança financeira, numa empresa que paga um salário fixo baixo e deixa grande parte do salário em aberto para ser obtido por meio de comissões, às vezes incertas, relacionadas a vendas.*

• *Vendedores não comissionados geram Experiência de Compra para o consumidor, que é o fator que mais fideliza clientes atualmente.*

• *Vendedores não comissionados atendem o cliente de forma exemplar, o que alimenta o Marketing Boca a Boca, a única forma eficiente (e gratuita) de se fazer marketing nos dias de hoje.*

• *Clientes entendem que vendedores que não ganham comissão são seus parceiros, não seus inimigos.*

PARTE 2

COMO INCENTIVAR, DETERMINAR METAS E RANQUEAR DE FORMA CERTA

De acordo com o que foi mencionado na primeira parte do livro, os resultados obtidos pelas pessoas geralmente estão ligados fortemente aos ambientes e às estratégias das empresas. Portanto, para conseguir maior engajamento e uma performance máxima das pessoas, as empresas devem repensar as estratégias de gestão de suas equipes comerciais.

Nesta parte, mostraremos as formas corretas de premiar e incentivar vendedores, estabelecer e controlar metas de vendas, bem como os efeitos que os rankings de vendas causam na performance da equipe. Existem riscos enormes em estipular metas, premiações e rankings sem a base de uma estratégia forte. Felizmente, a Ciência nos proporciona uma visão clara de como atingir estes objetivos e de como minimizar estes riscos.

Capítulo 4

INCENTIVOS QUE FUNCIONAM

Nem todo tipo de incentivo gera uma pior performance. Conforme analisamos nos capítulos anteriores, os incentivos financeiros levam a uma pior performance e têm diversas consequências negativas, mas isto não significa que outros tipos de incentivos terão os mesmos efeitos. Vejamos, por exemplo, o poder de certos incentivos não financeiros: viagens, jantares, dias de folga, entradas para o cinema e diversos outros que têm efeitos muito superiores na motivação e na felicidade das pessoas se comparados com incentivos financeiros.

INCENTIVE COM EXPERIÊNCIAS, NÃO COM BENS MATERIAIS

Lembre-se de suas melhores férias, viagens, jantares ou de outras experiências que teve nos últimos anos. Estou certo de que, enquanto se lembra destes momentos, sentimentos de imensa alegria rodeiam a sua cabeça e fazem com que sinta saudades de momentos memoráveis. Você deve estar se lembrando do quanto foi proveitoso o passeio que fez naquela cidade especial, ou daquele jantar fantástico na companhia de alguma pessoa importante para você, ou daquele filme incrível que assistiu no cinema. Agora, tente lembrar-se da última camisa que comprou para você mesmo e quais são os sentimentos que passam por sua cabeça ao lembrar-se da camisa. Sentiu alguma diferença? Como você pode sentir, experiências geram lembranças e alegrias que duram para sempre, enquanto bens materiais geram apenas uma felicidade momentânea. O seu carro novo pode gerar felicidade e excitação por alguns meses, mas depois disto ele não passa de um meio com o qual você vai para o trabalho. O seu celular novo pode gerar certa alegria por algumas semanas, mas depois ele é apenas a forma como você liga para o seu chefe. Por outro lado, as experiências que você teve naquela viagem para o Exterior continuam sendo prazerosas durante toda a sua vida, principalmente se você as vivenciou ao lado de uma pessoa importante para você. Mesmo que você tenha adoecido na viagem ou se queimado em demasia na praia, os momentos ruins são logo esquecidos, enquanto os bons perduram.

É por isso que prêmios em dinheiro ou em bens materiais não surtem efeitos tão duradouros e, portanto, não motivam tanto as pessoas quanto os prêmios que oferecem experiências. Se a empresa em que você trabalha paga premiações em dinheiro para o vendedor, pode estar certo de que ele irá gastar o dinheiro comprando um bem material ou pagando uma conta da casa, decisões que não geram experiência alguma e que, portanto, serão rapidamente esquecidas. Por outro lado, se os prêmios que sua empresa oferece ao vendedor geram experiências que ele nunca teria tido se não fosse por causa da empresa, a motivação dele irá durar por um bom tempo. Este tipo de experiência torna-se ainda maior e mais duradoura se o prêmio envolver a família do vendedor pois os melhores momentos da vida das pessoas acontecem quando elas estão acompanhadas. Esta é uma das maiores diferenças entre bens materiais e experiências: bens materiais geralmente beneficiam mais uma única pessoa, enquanto as experiências vividas aumentam a felicidade de diversas pessoas ao mesmo tempo.

É importante ressaltar que nem todos os bens materiais são desaconselháveis. Oferecer prêmios como livros e álbuns musicais – que enriquecem a cultura das pessoas – são positivos.

A prática de propiciar experiências ao invés de bens materiais vem sendo estudada frequentemente pela Ciência, com resultados fantásticos. Em 2014, o pesquisador Ryan Howell, da San Francisco State University, e sua colega Paulina Pchelin pediram para que algumas pessoas fizessem uma estimativa sobre quão felizes estariam duas semanas após terem comprado um bem material. Eles descobriram que, neste caso, as estimativas dos participantes eram muito precisas: o nível de felicidade dos mesmos havia aumentado de acordo com suas previsões. Incrivelmente, quando eles pediram a mesma estimativa dos participantes após a compra de uma experiência, duas semanas depois os participantes reportaram estar 106% mais felizes do que previram anteriormente[1].

Infelizmente, as pessoas têm uma noção limitada sobre o que efetivamente as motiva. A maioria acredita que a felicidade está ligada a bens materiais e ao dinheiro, ao contrário do que a Ciência comprova.

PREMIE TODOS OU NÃO PREMIE NINGUÉM

Uma das maiores falhas das empresas ao desenvolver políticas de premiação para os funcionários é premiar apenas os funcionários que atingiram suas metas individuais. Como veremos com mais detalhes adiante, metas individuais causam individualismo e não cooperação, que é a característica fundamental para o sucesso de uma equipe. Quando premiamos somente os funcionários que atingiram suas metas ou somente os melhores ranqueados, estamos dando um recado indireto para as pessoas de que o desempenho pessoal é mais importante do que o da equipe, o que aumenta a competição, sempre negativa num ambiente de trabalho, e diminui a cooperação.

Uma empresa inteligente incentiva a cooperação e, caso a meta geral seja atingida, toda a equipe receberá a premiação. Caso contrário, ninguém a ganha, nem mesmo os que atingiram suas metas individuais. Desta forma, a empresa faz com que cada pessoa passe a entender que a equipe é mais importante do que o indivíduo e isto aumenta a cooperação, além de diminuir a competição e os conflitos internos.

Recentemente, um estudo feito pela University of Leicester, University of Sydney, University of Western Sydney e University of Southern Denmark mostrou que em diversos tipos de ambiente as equipes em que todos são premiados obtêm uma performance melhor do que as equipes nas quais cada pessoa é premiada de acordo com sua performance individual[2].

É gratificante ver como esta estratégia faz com que os vendedores situados em regiões com índices excelentes de vendas deem o máximo para ajudar os colegas responsáveis por regiões menos favorecidas ou com momentos de venda baixa, pois sabem que no mês seguinte esta realidade pode se inverter. Segundo os autores do estudo citado acima, Daniel Ladley, Ian Wilkinson e Louise Young, quando a premiação é global surge o papel do autossacrificante, aquele profissional que se esforça em fazer o grupo ter melhor resultado à custa de seu próprio resultado individual.

Esta ação faz com que, com o passar do tempo, a cooperação e o espírito de equipe dos vendedores para atingir as metas traga resultados incríveis e, assim, o ambiente de trabalho transforme-se em um ambiente mais leve e positivo.

PREMIE TODOS DE FORMA IGUAL

Da mesma forma que premiar somente alguns vendedores gera individualismo e competição, premiá-los de forma diferente traz os mesmos malefícios. Segundo o estudo citado anteriormente, feito pelo pesquisador Frans de Waal, quando pessoas que realizam o mesmo trabalho recebem prêmios diferentes, os que recebem os "piores" prêmios sentem-se tremendamente injustiçados[3]. Já os que não recebem prêmios, apesar de terem atingido suas metas ou mesmo tendo trabalhado de forma árdua durante o mês, sentem-se ainda mais injustiçados.

Muitas empresas optam por premiar os primeiros colocados do ranking e deixar os demais de fora, além disso, gostam de dar prêmios diferentes de acordo com a colocação dos vendedores no ranking. Apenas as empresas que entendem verdadeiramente de pessoas sabem que este tipo de premiação faz mais mal do que bem. A melhor forma de premiar uma equipe é dar o mesmo prêmio para todo mundo caso as metas sejam atingidas, mostrando que todas as pessoas da equipe são tratadas de forma igual e que o coletivo é mais importante do que qualquer objetivo individual.

PRÊMIOS DEVEM SER DADOS ÀS VEZES E SEM SEQUÊNCIA LÓGICA DE TEMPO

O famoso psicólogo americano B. F. Skinner fez uma contribuição importante (e desconhecida pelas empresas) para o mundo corporativo. Num dos seus estudos mais famosos, Skinner colocou ratos em duas caixas de metal idênticas que continham uma alavanca interna. Ao ser acionada, a alavanca liberava um alimento para o rato. As caixas de metal eram diferentes em apenas um aspecto: numa das caixas, toda vez que o rato pressionava a alavanca, ele recebia comida; já na outra, nem sempre ele recebia comida, embora igualmente a pressionasse. Às vezes a comida era liberada depois de ele apertar três vezes a alavanca ou depois de ele apertar sete ou cinco vezes. Não havia uma sequência lógica no número de vezes que o rato tinha de pressionar a alavanca para receber comida, portanto, ele deveria ficar apertando-a frequentemente se quisesse se alimentar. Mas no que este estudo com ratos contribui com a forma como os prêmios devem ser dados? Como você deve imaginar, o rato que nunca sabia quando iria receber comida apertava a alavanca com mais frequência do que aquele que sabia que toda vez que apertasse receberia comida. O rato que não sabia quando iria receber o prêmio trabalhava mais do que aquele que sabia quando iria recebê-lo. Skinner nomeou esta descoberta como Esquema de Razão Variável[4]. Com o passar do tempo, o rato que sabia que a cada vez que apertasse a alavanca iria receber comida passou a trabalhar menos. Em vendas, ou em qualquer outra área, este padrão se repete: se todos os meses os vendedores souberem que irão receber um prêmio, com o passar do tempo eles se acostumam e passam a diminuir seus ritmos de trabalho. Já quando o vendedor nunca sabe em que mês ele irá ganhar o prêmio, ele continua "apertando a alavanca" até recebê-lo. Com esta informação, premie os vendedores de vez em quando, faça com que o prêmio seja uma surpresa (a não ser nos casos ilustrados no próximo tópico) e nunca use uma sequência lógica de tempo para premiá-los.

AVISE COM ANTECEDÊNCIA, CASO A EXPERIÊNCIA SEJA FANTÁSTICA

Nem sempre dar um prêmio de surpresa é a melhor forma de recompensar as pessoas, pois isto depende de qual é o prêmio. Quando o prêmio é algo que irá gerar uma grande experiência para as pessoas como, por exemplo, uma viagem, é aconselhável avisar com antecedência qual será o prêmio. Nestes casos, avisar com antecedência sobre o prêmio causa uma "experiência de antecipação", o que gera tanto prazer e motivação quanto a experiência em si. Toda vez que você está planejando viajar nas suas férias, a escolha do destino, os hotéis em que pode se hospedar, os restaurantes onde você pode ir, o carro que irá alugar e os passeios que pode fazer causa momentos de imenso prazer. Depois de escolher tudo isto, você começa a ver fotos do destino, do hotel, dos passeios etc., o que faz com que você passe a se imaginar aproveitando tudo o que a viagem irá te proporcionar, gerando ainda mais prazer e motivação. Muitas pessoas afirmam que o planejamento da viagem causa tanta felicidade quanto a própria viagem. Isto acontece porque nosso cérebro tem dificuldades em distinguir se estamos antecipando uma experiência, vivenciando-a, ou nos lembrando dela, portanto, ele nos proporciona o mesmo prazer[5].

Por este motivo, sempre que a empresa puder oferecer um prêmio que gere grande experiência para os vendedores, informe a eles qual será este prêmio; isto irá gerar uma experiência positiva antes do recebimento do prêmio, durante a experiência em si e após, quando as pessoas começam a ver as fotos e a decorar suas casas com as lembranças da viagem, revivendo a experiência desta forma.

Quando premiamos as pessoas com experiências, conseguimos aumentar a duração do efeito motivacional de uma forma que nenhum bem material ou dinheiro consegue.

SEJA CRIATIVO: AS PESSOAS QUEREM MENOS DO QUE SE IMAGINA

Numa época em que todos os dias são lançados novos "brinquedinhos eletrônicos" - celulares, tablets, smartwatches, entre outros - torna-se fácil para as empresas acreditar que as pessoas desejam estes itens mais do que qualquer coisa. Quando uma empresa entende de motivação humana e passa a premiar as pessoas com experiências, torna-se, também, uma tentação acreditar que as pessoas querem viagens de luxo, estadias em resorts ou jantares em restaurantes chiques. Apesar de estes prêmios serem válidos e gerarem motivação de longo prazo, existem outros tipos de premiação que são muito mais simples (e baratos) e que geram motivação ainda maior. O prof. Cary Cooper, da Universidade de Lancaster, e seus colegas descobriram que o que as pessoas mais querem no ambiente de trabalho é flexibilidade de horário, tanto para trabalhar em períodos mais adequados à sua função, quanto para passar mais tempo junto às suas famílias[6]. Desta forma, ao invés de premiar os vendedores com experiências caras, as empresas podem começar a premiar as pessoas, por exemplo, com um dia de folga. Quanto isto custa para uma empresa? Certamente menos do que um jantar no Fasano ou um feriado no Costão do Santinho.

Uma aluna que tive na universidade, executiva de uma grande empresa de telefonia, disse que todos os meses a empresa criava premiações diferentes para os vendedores, mas que, depois de um certo tempo, estas premiações passaram a não ter grande efeito motivacional na equipe. Foi aí que um dos executivos da empresa teve a grande ideia de, pela primeira vez, perguntar aos vendedores o que eles queriam como prêmio. O desejo de premiação dos vendedores desta empresa irá deixar muitos executivos confusos: ao invés de pedirem o mais novo gadget ou algo extremamente sofisticado, os vendedores queriam que a empresa os premiasse com treinamentos. Sim, os vendedores queriam receber treinamentos sobre assuntos diversos como prêmio por terem atingido as suas metas.

Outro caso curioso que eu gostaria de compartilhar com você é o de uma ligação que recebi de um vendedor que fez parte de uma equipe a qual gerenciei na época em que trabalhava como executivo. Anos depois de ambos termos saído da empresa, recebi uma ligação dele e fiquei extremamente surpreso com o que ele me falou. Ele ligou para me agradecer por tudo o que eu lhe havia ensinado sobre vendas, mas o fato mais curioso foi o que me disse depois: que durante toda a vida dele nunca tinha se imaginado dentro de um restaurante tão chique quanto o que eu o levei, em certa ocasião, quanto ele esteve em Curitiba; e que era muito grato por eu ter proporcionado tal experiência para ele. Detalhe: o restaurante a que eu o levei não tem nada de sofisticado. Aliás, este restaurante, apesar de bastante famoso, serve frango, polenta e outros pratos italianos simples.

Estes fatos mostram que as pessoas ficam motivadas e que nunca se esquecem de experiências, por mais simples que elas tenham sido. Muitas vezes, um dia de folga, um treinamento ou até algumas polentas podem gerar uma motivação que vai além do que imaginamos.

DOAR MOTIVA MAIS DO QUE RECEBER

Outra prática que vem chamando a atenção de diversos cientistas é a confirmação de que o ser humano é mais motivado em doar do que em receber. Sim, parece estranho, já que a maioria das pessoas acredita que o ser humano sempre quer lutar primeiramente "pelo seu", deixando os interesses dos outros em segundo plano. Mas a realidade é bem diferente disto. Num estudo conduzido pela profª. Lalin Anik, da Duke University, alguns funcionários de uma indústria farmacêutica foram premiados com dinheiro por seu trabalho e, posteriormente, direcionados a gastar o montante recebido para pagar uma conta, uma despesa ou comprar um presente para eles mesmos[7]. Enquanto isso, outro grupo foi direcionado a gastar o dinheiro recebido comprando algo para um colega de trabalho. Esta pequena diferença em como cada grupo gastou seu dinheiro causou uma grande diferença de performance futura – o grupo que gastou o dinheiro com outra pessoa foi o que teve maiores ganhos em desempenhos posteriores. Num segundo experimento, desta vez conduzido com equipes esportivas, o time que foi instruído a gastar o dinheiro com colegas de equipe aumentou substancialmente o percentual de vitórias. Finalmente, num terceiro experimento, cada membro de um grupo de funcionários de um banco recebeu US$ 50,00 e foi instruído a doá-lo para a caridade em nome do banco, enquanto outro grupo foi instruído a gastar o dinheiro de outra forma. Novamente, as pessoas do grupo que doou o dinheiro para a caridade tiveram um aumento significativo em seus índices de felicidade e de satisfação no trabalho. Num estudo similar conduzido pelos psicólogos Elizabeth Dunn, da University of British Columbia, Lara Aknin, da Simon Fraser University, e Michael Norton, da Harvard Business School, os participantes tiveram seus níveis de felicidade medidos no início do dia e, posteriormente, ganharam um envelope com US$ 20,00 dentro. Algumas pessoas foram instruídas a comprar algo para elas mesmas enquanto outras foram instruídas para comprar algo para outra pessoa. Qual dos dois grupos reportou maiores níveis de felicidade no final do dia? Você acertou: o grupo que comprou algo para outra pessoa[8]. E não é apenas o fato de doar dinheiro que gera maior felicidade. Um estudo realizado com mais de 2.800 pessoas mostrou que doar tempo para realizar trabalhos voluntários também tem efeitos extremamente positivos nos níveis de felicidade das pessoas, além de aumentar o bem-estar e a autoestima e diminuir os níveis de depressão[9].

DOAR COMISSÕES GERA MAIS RETORNO DO QUE... COMISSÕES

Esta motivação de ser um doador pode fazer com que você mais do triplique seus ganhos financeiros, segundo um estudo do economista americano Arthur Brooks. Em 2000, Brooks estudou os hábitos de doação de mais de 30 mil pessoas e descobriu que, independentemente do nível de educação, idade, raça, religião, preferência política e qualquer outro fator imaginável, a cada US$ 1,00 extra doado por uma pessoa ela pode esperar US$ 3,75 adicionais na sua renda no ano seguinte[10]. Isto significa que, se eu e você ganhássemos o mesmo salário, mas eu doasse US$ 900,00 para a caridade enquanto você doasse US$ 1.900,00, apesar de você ter doado US$ 1.000,00 a mais do que eu, você iria ganhar $ 3.750,00 a mais do que eu no próximo ano. Num mundo onde as pessoas enxergam como tolos aqueles que se preocupam mais com os outros do que com eles mesmos, a Ciência nos mostra que quanto mais uma pessoa investe nos outros mais retorno ela tem. Porém, o simples fato de doar por doar não garante que você irá receber o retorno. Se você doar dinheiro ou tempo apenas para receber algo em troca, sem ter o real propósito de ajudar, provavelmente seu "investimento" o deixará frustrado.

Com isto em mente, sua empresa pode inventar um tipo de plano de comissionamento que verdadeiramente funciona. Sua empresa pode, por exemplo, pagar em torno de 90% do salário do vendedor de forma fixa e oferecer mais ou menos 10% de forma variável, mas ao invés destes 10% irem para o bolso do vendedor, faça com que este percentual seja doado para projetos sociais. Já pensou quantas pessoas e causas poderiam ser ajudadas com os 10% da comissão de todos os vendedores? Além disso, faça os vendedores também doarem seu tempo para projetos sociais e os envolva em causas pelas quais sua empresa está lutando. Num primeiro momento, eles podem até demonstrar resistência a este tipo de ação, mas pode estar certo de que, quando cada vendedor sentir o efeito do que eles estão fazendo causa, eles ficarão constantemente motivados. O prazer de ajudar os outros é um caminho sem volta.

Na terceira parte deste livro, abordarei mais profundamente este assunto e você irá entender por que ter um propósito na empresa é fundamental para o engajamento do vendedor.

CONCLUSÃO

As primeiras coisas que vêm à cabeça de inúmeros executivos, quando o assunto é premiar vendedores, são o dinheiro e os bens materiais. No entanto, uma política de premiação quase sempre busca premiar poucos e deixar muitos de fora.

Ao agir desta forma, as empresas deixam de lado oportunidades muito interessantes de gerar motivação de longo prazo aos vendedores, de criar sintonia e companheirismo no ambiente de trabalho, de unir os vendedores, de fazer com que a equipe seja mais importante do que o indivíduo, de criar um propósito ligado à venda de seus produtos e, inclusive, de economizar dinheiro com premiações.

Ao criarem um sistema de premiações que proporcione experiências únicas ao vendedor, que premie todos de forma igualitária, que oferte prêmios de surpresa, que permita que o vendedor premie seus colegas e, além de tudo, que desperte um sentimento de propósito em cada venda realizada, as empresas estarão dando um passo de extrema importância rumo ao sucesso em vendas.

Capítulo 5

ESTABELECENDO METAS EFETIVAS

Poucas empresas atentam no fato de que determinar metas de forma correta tem uma importância fundamental no desempenho de uma equipe de vendas. Uma meta não é simplesmente uma informação de quanto a empresa deve faturar, muito menos um número que sinaliza quem será premiado e quem será demitido: uma meta tem funções muito mais importantes do que estas. Muitas empresas simplesmente seguem os hábitos mais comuns do mercado, como, por exemplo, ter uma meta mensal de vendas. Mas, o período de tempo em que as metas são avaliadas faz toda a diferença, não apenas no atingimento das mesmas mas também na velocidade pela qual elas são alcançadas. Não é por acaso ou porque os vendedores gostam de deixar tudo para a última hora que muitas equipes fecham a maioria de seus negócios nos últimos dias do mês. A estratégia que a maioria das empresas segue para determinar as metas é o que causa este comportamento.

Este capítulo pretende desvendar os segredos de como se deve trabalhar com metas de forma altamente efetiva, garantindo que as metas de sua equipe sejam bem calibradas e avaliadas no período de tempo certo e que possam acelerar o ritmo de fechamento de negócios dos vendedores de modo a gerar grande colaboração entre os membros da equipe.

METAS DEVEM SER UM DESAFIO, PORÉM, ALCANÇÁVEIS E JUSTIFICÁVEIS

Você deve estar lembrado da história dos hospitais do Exército americano que contei na primeira parte do livro. Os administradores ganhariam um bônus financeiro caso a meta de atendimento dos pacientes fosse cumprida e que, por causa disto, passaram a falsificar os registros, mascarando os verdadeiros tempos de atendimento apenas para ganhar o incentivo financeiro. Porém, existe mais um fator que incentivou o comportamento antiético destas pessoas: metas mal formuladas. Naquele caso, o Exército queria que as consultas fossem agendadas em até 14 dias, após a data desejada pelo paciente, o que, pelo motivo da alta demanda do hospital e da falta de médicos, era uma meta impossível de ser cumprida[1]. Desta forma, os administradores não se sentiram culpados por trapacear, afinal, o que eles sentiram é que tinham sido trapaceados antes pelo Exército, que determinou metas impossíveis de serem atingidas.

Quantas empresas neste mundo determinam metas impossíveis de serem alcançadas? Quantas delas acham que o mercado funciona como matemática e, portanto, se a empresa precisa de um faturamento de R$ 500.000,00, elas estabelecem uma meta de R$ 800.000,00 pois calculam (não sabemos com qual método) que desta forma os vendedores irão atingir ao menos R$ 600.000,00? Quantas revelam as metas no meio do caminho, deixando os vendedores informados de que ainda falta um longo caminho para atingirem suas metas apenas alguns dias antes da apuração do resultado? E quantas mudam a meta no meio do caminho? Sem falar nas que impõem metas de acordo com o crescimento que a empresa "acha" que merece. Mas o pior tipo de empresa é aquela que determina metas que nunca haviam sido atingidas anteriormente pela equipe de vendas, dando a impressão de que foram determinadas por alguém que não quer que a equipe tenha sucesso.

O aviso dado através do comportamento dos administradores dos hospitais de veteranos nos EUA é claro: seja injusto comigo e eu serei injusto com você. Este comportamento é conhecido na psicologia como a Norma da Reciprocidade, ou seja: as pessoas são justas com as que são justas com elas e injustas com as que são injustas com elas[2]. Um experimento científico feito pelo famoso psicólogo e ganhador do Prêmio Nobel Daniel Kahneman, junto com seus colegas, mostrou o poder desta norma quando cada participante deveria escolher entre dividir US$ 12,00 com uma pessoa que foi injusta com ela ou US$ 10,00 com alguém que foi justo com ela. Não é surpresa para ninguém que as pessoas estão até mesmo dispostas a ganhar menos para dividir o dinheiro com alguém que as tratou de forma justa[3]. Porém, a maior lição que podemos tirar deste caso é que a combinação entre metas mal formuladas e incentivos financeiros pode ser fatal.

A importância de metas alcançáveis pode ser explicada por um estudo feito pelos pesquisadores Kennon Sheldon, da University of Missouri, e Tim Kasser, do Knox College. Eles descobriram que o atingimento frequente de metas gera maior bem-estar para as pessoas tanto em curto quanto longo prazo[4]. Toda vez que um vendedor não consegue atingir sua meta, o seu bem-estar diminui, o que fará com que ele fique cada vez mais desmotivado.

Porém, apesar das evidências de que metas devem ser alcançáveis, isto não significa que elas devam ser fáceis de se alcançar. Metas devem ser alcançáveis e desafiadoras, pois as pessoas são movidas por desafios. Estudos com ratos mostram que estes animais preferem buscar alimentos quando algum esforço é exigido, mesmo quando eles podem contar com outra fonte de alimentação fácil nas proximidades[5]. O renomado prof. Mihaly Csikszentmihalyi (lê-se Mirrái Tic-cent-mirrái), da Claremont University, que vem estudando motivação ao longo de grande parte de sua vida, descobriu que o estado perfeito de motivação para uma pessoa realizar qualquer tarefa é o que ele nomeou de Estado de Fluxo: neste estado motivacional, a pessoa gosta tanto do que está fazendo que nem sente o tempo passar[6]. Csikszentmihalyi descobriu que para que o Estado de Fluxo entre em ação a relação entre o que uma pessoa tem que fazer e o que ela pode fazer deve ser perfeita: o desafio não deve ser nem tão fácil nem tão difícil. Anos de pesquisa ajudaram Csikszentmihalyi a comprovar que desafios alcançáveis fazem com que o nosso corpo e mente se expandam de tal forma que o esforço feito para alcançar o sucesso na tarefa torna-se uma grande recompensa.

A maior recompensa para uma pessoa é ter sucesso numa tarefa que exigiu certo esforço – esta é a base da motivação interna, o tipo de motivação que realmente transforma e mantém o comportamento das pessoas em longo prazo.

Outros estudos fundamentam a evidência de Csikszentmihalyi de que metas moderadas são mais eficientes do que metas fáceis que não exigem grande esforço; e também mais eficientes do que metas difíceis que desencorajam as pessoas e as levam à desistência[7].

A forma ideal para despertar o Estado de Fluxo nos vendedores para que eles batam suas metas é mais simples do que se imagina.

CADA VENDEDOR DEVE DETERMINAR SUA PRÓPRIA META, ESCREVÊ-LA NUM PAPEL E ASSINAR SEU NOME

Os seres humanos são movidos por forças que a maioria desconhece. Uma dessas forças é um princípio chamado de Consistência ou Comprometimento, conforme mencionado brevemente no prólogo deste livro[8]. Acontece que esta força pode ser usada de forma extremamente positiva no estabelecimento de metas, desde que você a use a seu favor. Para que isto seja possível, sua empresa deve agir ao contrário do que a maioria age, pedindo para que cada vendedor estabeleça sua própria meta, escreva-a num papel e assine seu nome. Segundo o Princípio da Consistência, logo depois de uma pessoa ter se comprometido com algo, ela fará de tudo para agir de forma consistente. Isto significa que, se um vendedor determinou sua própria meta, ele dará o seu máximo para cumprir aquilo que prometeu, pois quer ser visto como alguém consistente. O desejo de ser visto como alguém consistente, inclusive, é o que fará com que o vendedor determine uma meta justificável, pois se ele determinar uma meta com pouca exigência ou injustificável para si mesmo, ele será visto como uma pessoa "sem noção" pelos seus colegas – imagem que ninguém quer passar de si mesmo. A consistência, combinada com a força do desenvolvimento pessoal, fará que, com o passar do tempo, o vendedor passe a determinar metas cada vez maiores, pois, como vimos anteriormente, as pessoas são movidas por desafios[9]. Todos nós ajustamos nossas metas após termos atingido o que desejávamos anteriormente: seja perder mais alguns quilos através de uma dieta ou adicionar mais alguns quilos na barra de supino.

Logo após cada vendedor ter determinado sua própria meta, peça para que eles a escrevam de próprio punho num papel e assinem seus nomes. Desta forma, você está usando a consistência a seu favor três vezes: o vendedor determinou sua própria meta, escreveu-a no papel e assinou o nome. Como já vimos no prólogo deste livro, quanto mais comprometimento conseguimos das pessoas, mais elas se esforçam para cumprir o que prometeram.

As evidências científicas que temos sobre a eficiência deste procedimento são muito convincentes. Um estudo feito pelos professores Kennon Sheldon, da University of Missouri, e Andrew Elliot, da University of Rochester, pediu para que um grupo de 169 alunos determinasse suas próprias metas para o semestre letivo. Os pesquisadores revelaram que esta ação fez com que os alunos aumentassem seus níveis de esforço e, consequentemente, alcançassem as metas com mais facilidade[10]. Um estudo feito pelos pesquisadores Lisa Ordóñez, Maurice Schweitzer, Adam Galinsky e Max Bazerman descobriu que as metas que as pessoas estabelecem por elas mesmas e que as permitem alcançar desenvolvimento são saudáveis, enquanto metas determinadas por outras pessoas geralmente têm efeitos negativos[11]. Finalmente, o estudo apresentado no tópico anterior, desenvolvido por Kennon Sheldon e Tim Kasser, também descobriu que o atingimento das metas estava diretamente relacionado com a importância da mesma na vida das pessoas – de acordo com o Princípio da Consistência, quando uma pessoa determina sua própria meta, a importância que ela passa a dar ao objetivo é imensa.

A razão pela qual as pessoas resistem em atingir metas determinadas pelos outros, além de ter uma relação com a falta de consistência, está relacionada com mais um fator.

CONFORMISMO APRENDIDO

Quando os vendedores de uma empresa recebem suas metas prontas e, como ocorre frequentemente, estas metas são injustificáveis e/ou inalcançáveis, eles passam a sentirem-se vítimas da Desesperança Aprendida, ou Conformismo Aprendido, como eu prefiro chamar[12]. Este comportamento acontece sempre que as pessoas sentem que não têm controle sobre suas metas, que nada podem fazer para mudar seus destinos e realidades. Desta forma, elas param de lutar, desistem mais facilmente de seus objetivos e aprendem a se conformar com o insucesso. Um experimento feito em 1974 ilustra bem este comportamento: dois grupos de pessoas foram colocados numa sala onde havia um barulho ensurdecedor [13]. Os dois grupos foram, então, instruídos a encontrar uma maneira de fazer o barulho parar, apertando botões em um painel de controle. Como uma das formas favoritas usadas pela psicologia para estudar a resiliência das pessoas é pedir que elas realizem tarefas impossíveis de se resolver, um dos grupos, propositadamente, nunca conseguia desligar o barulho, enquanto o outro conseguia facilmente, apertando alguns botões em sequência. Em seguida, os participantes do estudo foram colocados em outra sala diferente, onde tinham que, novamente, descobrir uma maneira de eliminar o barulho. As pessoas do grupo que conseguiu desligar o barulho na oportunidade anterior descobriram rapidamente uma forma de fazer o mesmo na nova sala, enquanto o grupo que não teve sucesso na tarefa anterior simplesmente se conformou em não ter controle sobre o barulho, nem tentando fazê-lo parar, apesar de o lugar e a oportunidade serem diferentes. Uma forma fácil de ver o Conformismo Aprendido em ação é acessar um vídeo interessante buscando "Inducing Learned Helplessness" numa ferramenta de buscas ou no seu site favorito de transmissão de vídeos. Você ficará surpreso como em apenas alguns minutos as pessoas aprendem a se conformar com o não atingimento de uma meta.

A psicóloga e professora da Stanford Carol Dweck, que estuda a diferença de performance entre as pessoas que acreditam que sua inteligência é fixa, ou seja, que elas nascem com certa inteligência e esta é imutável, e as pessoas que acreditam que sua inteligência é flexível, ou seja, que elas podem melhorar e se desenvolver em qualquer atividade, descobriu o quanto isto faz diferença no sucesso futuro das pessoas[14]. Num estudo, ela e seus colegas avaliaram 373 estudantes para descobrir se eles acreditavam ter a inteligência fixa ou flexível e depois acompanharam suas performances durante os dois anos seguintes. Dweck concluiu que os alunos que acreditavam que tinham uma inteligência flexível obtiveram um crescimento constante nas suas notas, enquanto os que acreditavam que a sua inteligência era fixa mantiveram a mesma média de notas durante os dois anos. Num outro estudo, Dweck pediu para estudantes da quinta e sexta série resolverem 12 exercícios, dentre os quais, quatro eram muito avançados para a idade dos alunos e, consequentemente, impossíveis de serem resolvidos por eles[15]. Ela notou que os alunos com a mentalidade de inteligência fixa desistiram rapidamente dos exercícios avançados e culparam sua falta de inteligência por não terem conseguido resolvê-los, enquanto os alunos com a mentalidade de inteligência flexível ficaram mais tempo tentando resolver os mesmos problemas e desenvolveram estratégias mais criativas para tentar chegar a uma solução. Estas crianças, quando perguntadas por que não conseguiram resolver os exercícios, simplesmente disseram que as dificuldades eram inevitáveis para o seu crescimento pessoal, mas que tais dificuldades iriam ajudá-las no processo de desenvolvimento.

Trazendo as descobertas destes estudos para o mundo das vendas, quando os vendedores sentem que têm pouco controle sobre suas metas e suas performances, eles aprendem a desistir facilmente quando encontram qualquer dificuldade e aprendem a se conformar com o não atingimento de seus objetivos. Empresas que determinam metas para os vendedores, ao invés de fazer com que os próprios vendedores determinem suas metas, e que apresentam números inalcançáveis e injustificáveis, fazem com que a cada mês que a equipe não bata sua meta os vendedores comecem a sentir que seus esforços são inúteis para o atingimento da mesma.

Os riscos de fazer as pessoas sentirem que têm pouco controle sobre seus objetivos não param por aí: um estudo feito com 7.400 funcionários concluiu que aqueles que sentiam ter pouco controle sobre os prazos determinados por outras pessoas corriam um risco 50% maior de desenvolver doença cardíaca[16]. Quando é o vendedor que define sua própria meta, ele passa a acreditar que tem mais controle sobre sua performance e, consequentemente, luta mais para alcançá-las. Mas, como veremos a seguir, existem outras estratégias para fazer com que o vendedor desfrute de ainda mais segurança no atingimento de suas metas.

METAS DEVEM SER GLOBAIS, NUNCA INDIVIDUAIS

Empresas que incentivam a cooperação apresentam melhor performance, além de terem um ambiente de trabalho mais positivo do que companhias que incentivam a competição entre os funcionários. Por este motivo, após pedir para cada vendedor determinar sua própria meta, some a meta individual de cada membro e determine a meta da equipe, ou meta global. Desta forma, a avaliação de performance individual do vendedor deve ter como base a meta global, ou seja, quanto a dedicação dele ajudou a equipe a atingir seus resultados. Como vimos anteriormente, o ser humano é mais motivado por ajudar do que por ser ajudado. Quando mostramos aos vendedores o quanto eles ajudaram seus colegas no atingimento da meta, ao invés de mostrarmos quanto da meta individual que eles mesmos determinaram foi atingida, cada vendedor passa a entender que o seu papel é ajudar a equipe a ter sucesso. Desta forma, a empresa dá o recado para os vendedores de que valoriza a equipe, e não o indivíduo, incentivando a cooperação. Na minha própria carreira como executivo de vendas, percebi que equipes com metas globais ajudam mais uns aos outros: quando uma região de vendas está mal em determinado mês, os vendedores das outras regiões com momentos de venda mais aquecidos passam a vender tudo o que podem para cobrir a região que está mal. Este comportamento torna-se procedimento normal quando os vendedores percebem que todas as regiões estão sujeitas a momentos ruins e, portanto, eles sempre poderão depender uns dos outros para atingir o objetivo do grupo. Esta percepção felizmente tem base científica, já que um estudo revelou que metas em grupo tendem a ser melhores do que metas individuais. Os professores Ad Kleingeld, da Eindhoven University of Technology, e suas colegas Heleen van Mierlo e Lidia Arends, da Erasmus University Rotterdam, reportaram através de uma meta-análise de mais de 130 estudos científicos que metas "egocêntricas" e individuais, direcionadas a maximizar a performance individual, mostraram um efeito particularmente negativo na performance do grupo. De outro lado, metas globais, direcionadas a maximizar a performance individual em relação ao grupo, tiveram um efeito positivo[17].

Outro estudo apresentado anteriormente confirma o fato de que os vendedores passam a ajudar uns aos outros de acordo com o tipo de meta que recebem. Você deve lembrar que Daniel Ladley, Ian Wilkinson e Louise Young revelaram que prêmios pela performance do grupo incentivaram o surgimento dos profissionais autossacrificantes[18].

DETERMINE METAS SEMANAIS, FUJA DAS METAS MENSAIS OU DIÁRIAS

Todo gestor experiente da área de vendas já se deparou com um fenômeno comum em qualquer equipe comercial: nos últimos dias do mês, mais especificamente nos dois últimos dias do mês, a equipe de vendas obtém números muito mais expressivos do que os alcançados durante os outros dias. Estas vendas dos últimos dias são tão importantes que, inclusive, muitas empresas têm seus resultados arruinados quando estas vendas não se realizam. Similarmente, você já deve ter notado que começa a ler mais rapidamente quando sente que está próximo ao final de um livro, ou que começa a falar mais rápido quando sente que uma conversa está chegando ao final. Isto não é coincidência e, sim, um padrão de comportamento causado por um fator chamado de Ponto X. Numa maratona, o Ponto X é o lugar onde o atleta consegue, pela primeira vez, enxergar a linha de chegada. Nesta altura, apesar de já ter percorrido quase toda a maratona e estar extremamente cansado, o atleta aumenta o seu ritmo ao invés de reduzi-lo[19]. A ciência vem estudando este fator há alguns anos e descobriu que toda vez que sentimos que estamos perto de alcançar certo objetivo, quando sentimos que o sucesso é provável e possível, ou seja, quando conseguimos enxergar a linha de chegada, o cérebro inunda o nosso corpo com endorfinas e outras substâncias que nos fornecem a força extra que necessitamos para acelerar o nosso ritmo e atingir o objetivo[20]. Organizadores de maratonas sabem que é exatamente depois do Ponto X que a probabilidade de um atleta ter um ataque cardíaco aumenta, por isso, equipes médicas sempre estão localizadas nesta altura da prova.

Da mesma forma que um atleta se beneficia do Ponto X para acelerar seu ritmo, sua equipe de vendas também se beneficia deste fator, nos últimos dias do mês, para atingir a meta. Mas, não seria melhor que, ao invés de enxergar a linha de chegada apenas nos últimos dias do mês, sua equipe enxergasse esta linha bem antes? E se sua equipe pudesse enxergar várias linhas de chegada durante o mês, será que o desempenho das vendas seria diferente? Certamente. Por este motivo, uma equipe de vendas pode se beneficiar grandemente caso tenha objetivos semanais, ao invés de mensais ou diários.

Conforme vimos, quando as metas são apuradas de forma mensal, a maratona é tão longa que os vendedores só conseguem "enxergar a linha de chegada" nos últimos dias do mês, e isto gera uma correria que já poderia ter acontecido antes, bem como o risco de não chegar ao final da maratona se algo der errado. Além disso, sabemos que, dependendo do tamanho da meta mensal estabelecida, muitas vezes os vendedores nem chegam a avistar a linha de chegada.

Nos últimos tempos, muitas empresas aderiram ao modelo das companhias de bebidas, que determinam metas diárias, mas este tipo de meta não dá ao vendedor a sensação de controle que ele necessita para alcançá-la. Durante as horas de um dia, as coisas acontecem muito rapidamente. Caso algo não planejado aconteça na rota do vendedor e, como bem sabemos, coisas não planejadas acontecem todos os dias, ele acaba ficando sem tempo hábil para recuperar o tempo que perdeu, não conseguindo chegar ao Ponto X para enxergar a linha de chegada. Muitas vezes, é ainda pior: o vendedor trabalha até chegar ao Ponto X, mas acaba tendo um "infarto" antes de cruzar a linha de chegada, por causa da pressão exagerada para o atingimento da meta.

Metas semanais apresentam o equilíbrio perfeito entre metas mensais e diárias; não são nem tão curtas ao ponto de causar um infarto no vendedor assim que ele chega no Ponto X nem tão longas como as metas mensais, onde o vendedor só enxerga a linha de chegada nos últimos dias – se é que chega a enxergá-la.

MOSTRE QUANTO DA META JÁ FOI ATINGIDA, NÃO QUANTO FALTA

Um dos principais estudos relacionados com o atingimento de metas aconteceu na década de 1920, quando o psicólogo Clark Hull fez uma descoberta pouco conhecida nos meios acadêmico e empresarial, porém, de extrema importância para ambos. Hull, que passou por diversas dificuldades de saúde durante a sua vida e mesmo assim conseguiu atingir seus objetivos, sendo que um destes objetivos foi conseguir um PhD, que demorou dez anos para ser concluído por causa da sua saúde debilitada, passou sua vida estudando as razões pelas quais algumas pessoas conseguiam atingir seus objetivos enquanto outras, não. Por experiência própria, ele notou que, apesar de todas as dificuldades que enfrentava desde criança, quanto mais objetivos ele atingia, mais rápido ele conseguia atingir os próximos. Como, naquela época, os experimentos usando pessoas não eram comuns, Hull decidiu estudar este comportamento em ratos. Para isso, Hull construiu um labirinto repleto de sensores elétricos no caminho e chegou exatamente à conclusão que esperava: quanto mais próximos do fim do labirinto, mais rapidamente os ratos passavam a se movimentar[21]. Hull nomeou esta descoberta de Teoria da Meta Gradativa: quanto mais perto você está de atingir o objetivo, mais rápido se movimenta.

Trazendo o estudo de Clark Hull para o mundo das vendas, outro experimento, realizado em 2006, pela Columbia University, chegou a resultados surpreendentes. O experimento analisou o comportamento de compra de clientes de uma cafeteria, participantes do programa de fidelização da mesma, que ganhavam uma bebida grátis a cada dez que consumiam. Cada vez que o cliente comprava uma bebida, ele recebia um selo no seu cartão, até completar dez selos. De acordo com a Teoria da Meta Gradativa, quanto mais perto de atingir os dez selos, mais rapidamente eles compravam os próximos cafés: e esta teoria foi confirmada. Mas a grande revelação deste experimento aconteceu num segundo momento, quando os pesquisadores deram, para a metade dos clientes da cafeteria, um cartão fidelidade do tipo "compre dez, ganhe um grátis" e para a outra metade outro cartão, "compre doze e ganhe um grátis", só que, para estes últimos, o cartão já vinha com dois selos estampados. Desta forma, ambos os grupos de clientes tinham que comprar dez cafés para ganhar um, mas, apesar das condições de igualdade, o comportamento dos grupos foi completamente diferente. Por quê? O grupo 2, aquele que recebeu o cartão com dois selos estampados, completou o cartão 16% mais rápido, o que significa que o segundo cartão foi completado cinco dias antes do que o do grupo que recebeu o cartão sem nenhum selo estampado. Perceba que depois da compra do primeiro café os participantes do grupo 1 teriam completado 10% do seu objetivo, enquanto os participantes do grupo 2 já teriam completado 25% do seu objetivo[22]. Outro estudo similar a este, realizado pelos pesquisadores Joseph Nunes, da University of Southern California, e Xavier Drèze da Wharton School, chegou a resultados parecidos. Clientes de um lava-rápido que receberam cartões de fidelização com dois selos estampados completaram seus cartões praticamente três dias antes do que os clientes do outro grupo[23]. Da mesma forma que, quando um atleta percebe que está perto de completar a maratona ele passa a correr mais rápido, um cliente que percebe que está mais perto de completar seu cartão fidelidade também acelera a sua compra de cafés. Um vendedor que percebe que está perto de atingir sua meta acelera o fechamento de seus negócios.

Porém, no mundo das vendas, a maioria das empresas prefere controlar quão bem (ou mal) estão as vendas, mostrando aos vendedores o quanto falta para a equipe atingir a meta e, não, quanto da meta já foi alcançado. Como muitas das estratégias apresentadas até aqui, para obter mais efetividade no acompanhamento das metas, as empresas precisam virar o seu processo de ponta cabeça. Estes estudos nos mostram que, quando as pessoas sentem que já começaram algo, elas tendem a completar seus objetivos com mais facilidade do que quando sentem que ainda estão no marco zero. Por este motivo, sempre ao final da semana, mostre para os vendedores quanto do objetivo já foi alcançado, nunca comece a semana do zero. Esta é mais uma razão pela qual determinar metas semanais é uma estratégia mais efetiva do que metas mensais: uma meta semanal de R$ 500.000,00, por exemplo, da qual R$ 150.000,00 já foram atingidos, mostra que a equipe já atingiu 30% do seu objetivo, dando uma percepção para a equipe de que grande parte da meta já foi cumprida.

Enquanto numa meta mensal de R$ 2 milhões os mesmos R$ 150.000,00 correspondem a apenas 7,5% da meta. Por mais que o objetivo seja o mesmo, a percepção do vendedor é diferente.

ACOMPANHAMENTO DIÁRIO, SOFRIMENTO DESNECESSÁRIO

Um processo comum em diversas empresas é acompanhar, diariamente, como estão as vendas, enfatizando para a equipe e seus membros qual deveria ser o percentual de atingimento naquele dia e qual é o resultado real do dia. Acontece que muitas empresas não entendem que o mercado não é matemática: o mercado atual é imprevisível. Não existe problema algum em controlar diariamente os resultados; o problema está em divulgar estes resultados numa tentativa de pressionar (ou motivar) os vendedores. Um pouco de conhecimento de psicologia, certamente, mudaria a opinião das empresas sobre a efetividade deste processo.

O psicólogo chileno Marcial Losada, junto com a famosa pesquisadora Barbara Fredrickson, da University of North Carolina, descobriram um ponto em comum entre equipes de sucesso: todas as vezes em que a proporção entre feedbacks positivos e negativos era superior a 2.9, as equipes alcançavam lucros maiores[24]. Losada e Fredrickson descobriram que, nas melhores equipes, esta proporção era de seis feedbacks positivos para cada um negativo. Esta proporção entre experiências positivas e negativas ficou conhecida como a Linha de Losada. Em outro estudo, Fredrickson descobriu que esta proporção de 3:1 também era verdadeira fora do escritório: a pesquisa dela revelou que pessoas que têm três pensamentos positivos para cada um negativo são mais otimistas, sentem-se mais realizadas e são mais felizes[25]. Outros estudos ainda afirmam que, para cada experiência negativa que temos, devemos ter de três a cinco experiências positivas apenas para neutralizar a experiência negativa[26]. O estudo de Marcial Losada tem seus críticos, que questionam principalmente os modelos matemáticos utilizados por ele, mas o fato é que, independentemente da proporção exata de interações positivas e negativas, o ser humano tem uma necessidade biológica de ter mais momentos positivos do que negativos durante os seus dias.

Toda vez que temos uma interação negativa, nosso cérebro libera a produção de um hormônio chamado cortisol, conhecido como o hormônio do estresse. O cortisol ativa mecanismos de defesa e conflito, desliga parte do pensamento racional e faz com que a gente enxergue as situações como piores do que elas realmente são. Já quando temos uma interação positiva, o cérebro libera a produção de um hormônio chamado ocitocina, que está diretamente ligado com a felicidade. A ocitocina aumenta nossas habilidades em comunicação, aumenta o bem-estar, faz com que colaboremos mais com os outros, aumenta nossa confiança e faz com que avaliemos as situações de forma mais positiva. O problema é que o cortisol fica metabolizando no nosso corpo por mais tempo do que a ocitocina, por isso, o peso de uma interação negativa é maior do que o de uma interação positiva[27]. Todas as pessoas sabem que sempre que temos um momento negativo nas nossas vidas ficamos mais tempo remoendo este momento ruim. Existe um ditado que diz que "a alegria de pobre dura pouco", mas isto não é inteiramente verdadeiro. O período de tempo que desfrutamos de momentos felizes é sempre curto, independentemente da classe social - por enquanto, ditados ainda não são testados cientificamente.

Por este motivo, uma equipe de vendas precisa ter bem mais experiências positivas do que negativas durante o dia. Ao receber uma notícia negativa – não estamos alcançando a meta – o vendedor tem que conquistar muitas interações positivas para neutralizar a negativa, e conquistar ainda mais para superar o momento negativo e passar a ter um dia com saldo positivo. Como sabemos, a vida de um profissional de vendas é repleta de momentos negativos, já que ele recebe mais respostas negativas do que positivas durante suas visitas. Portanto, uma das formas de mudar esta proporção para que o saldo diário de interações do vendedor possa ser positivo é reduzir a quantidade de informações negativas. Como dificilmente a equipe de vendas estará com a meta prevista exatamente na mesma proporção do que foi atingido naquele dia do mês, esta informação é desnecessária e maléfica. Vale lembrar que, como já foi dito, quando percebemos frequentemente que não estamos atingindo nossas metas, entramos numa realidade de Conformismo Aprendido, o que é extremamente ruim. Porém, se a equipe estiver com um resultado acima da proporção esperada, divulgue esta informação. Isto irá ajudar a dar um ânimo na equipe e a neutralizar alguma experiência negativa que os vendedores tenham sofrido.

A verdade é que o vendedor sempre tem pouco controle sobre o que irá acontecer no seu dia: ele consegue ter um controle maior sobre coisas pequenas como o número de visitas, mas quando falamos de quanto ele irá vender, o grau de previsibilidade é bem menor, pois depende mais de fatores externos do que da vontade própria do vendedor, como já vimos anteriormente. Ao não trazer à tona as informações desnecessárias e negativas, que a psicologia chama de ruído, principalmente as que fogem do controle das pessoas, estamos contribuindo para um dia mais positivo para o vendedor. Um grande corpo de estudos de pesquisadores como o prof. Martin Seligman, da University of Pennsylvania, e Shawn Achor, da Harvard, mostram que pessoas que têm um saldo positivo de interações no seu dia alcançam melhores resultados em vendas e em diversas outras áreas[28].

AVISE A EQUIPE QUANDO ELA TIVER ATINGIDO 70% DA META

Você pode (e deve) confiar no vendedor em vários aspectos do seu dia a dia, mas também deve ajudá-lo a acelerar o atingimento da meta. Como provavelmente a sua equipe nunca ouviu falar do Ponto X ou da Teoria da Meta Gradativa - mesmo sabendo que isto é algo que acontece com eles todos os meses -, uma das suas tarefas é criar o Ponto X para a equipe e divulgar o momento em que o faturamento alcançou este patamar.

Desta forma, supondo que a meta global da empresa é de US$ 1.000.000,00, para ativar o aceleramento gerado pelo atingimento do Ponto X, o gestor da equipe deve avisar o momento em que 70% da meta já foi alcançado, ou seja, quando ela chegar em US$ 700.000,00. Da mesma forma, quando o vendedor determinou que a sua meta individual seria vender, por exemplo, US$ 200.000,00, o gestor deve avisá-lo quando ele tiver atingido US$ 140.000,00. Como cada vendedor atinge o Ponto X em um momento diferente, estar ciente de que 70% da meta já foi alcançado pode ser benéfico para os vendedores e para a equipe. Caso alguns vendedores já tenham atingido seus 70% da meta mas a equipe ainda não a tenha alcançado, esta informação será importante para estes vendedores, pois eles irão acelerar o seu ritmo e, consequentemente, para a equipe, pois o aceleramento de alguns vendedores irá melhorar os resultados globais. Já nos casos em que a equipe atinja os 70% da meta mas alguns vendedores ainda não tenham alcançado este percentual individualmente, esta informação também é importante, pois o atingimento do Ponto X pela equipe fará com que todos passem a desfrutar individualmente dos benefícios que ele proporciona. A possibilidade de criar múltiplos Pontos X durante a semana, o que certamente irá gerar um aceleramento no atingimento da meta, só é possível se o gestor fizer com que cada pessoa e/ou com que a equipe enxergue que chegou ao Ponto X e que está perto da linha de chegada. Simplesmente intuir que cada um irá sentir sozinho o atingimento de 70% da meta não garante o sucesso. O vendedor, na sua rotina diária extremamente difícil, muitas vezes não tem tempo de saber como está o atingimento da meta, portanto, dificilmente descobrirá sozinho que chegou ao Ponto X. Um dos papéis fundamentais do gestor de vendas é fazer a equipe enxergar coisas que não consegue ver sozinha. O Ponto X é uma delas.

AVALIE OS VENDEDORES TAMBÉM POR METAS NÃO FINANCEIRAS

Dinheiro ou faturamento não podem ser a sua única métrica para avaliar os vendedores. No mundo das vendas, existem outras dimensões, extremamente importantes a serem avaliadas, como a satisfação do cliente, o tempo médio de compra do cliente, quantas indicações os clientes deram para o vendedor, quanto o vendedor ajuda os colegas da equipe, como a equipe avalia cada vendedor, como as demais áreas da empresa avaliam o vendedor, quanta iniciativa o profissional tem, entre diversas outras. Muitas empresas perdem ótimos profissionais porque utilizam métodos de avaliação que analisam somente o quanto a pessoa atinge de resultados visíveis, sem levar em conta que muito do resultado acontece por causa de aspectos invisíveis. Desta forma, as empresas acabam decidindo quem fica ou quem vai embora baseadas no que os profissionais venderam e não em quem eles são! Muitas pessoas, por exemplo, não atingem seus resultados todos os meses, mas são fundamentais para o equilíbrio da equipe. Basear as avaliações de uma empresa somente no resultado financeiro, consequentemente, fará com que as pessoas passem a se importar somente com o resultado financeiro: não em ajudar o cliente, em ajudar a equipe, a levantar o ânimo de um colega, em ser simpático, em ser inovador, em melhorar um processo da empresa, a criar um produto novo, a ter atitude ou a ter iniciativa. Lembre-se de que as pessoas são um retrato do sistema de gerenciamento da empresa: os funcionários passam a valorizar exatamente o que a empresa valoriza, o que é um grande risco. Por este motivo, uma empresa nunca pode valorizar apenas um aspecto. Se uma empresa quiser ter uma boa equipe, deve valorizar diversos aspectos que estão ligados com o sucesso da companhia: faturamento é apenas um destes aspectos.

Escolha alguns fatores que são fundamentais para o sucesso da empresa e os coloque na avaliação dos vendedores. Cuidado apenas para não avaliar muitos fatores, pois isto também irá confundir a cabeça dos vendedores e eles acabarão sendo ruins em todos eles. A profª. Sheena Iyengar, da Columbia, mostrou através de um estudo que, quando as pessoas têm muitas escolhas, elas acabam não fazendo opção alguma, pois a decisão torna-se muito difícil[29]. Esta descoberta também é verdadeira para critérios de avaliação: quanto maior a quantidade de itens pelos quais o vendedor é avaliado, pior será a performance dele em cada item. Por este motivo, analise profundamente quais são, no máximo, os três outros fatores (excluindo o faturamento) que importam verdadeiramente para o sucesso da companhia.

Na DPaschoal, por exemplo, os vendedores são também avaliados por suas atitudes em resolver problemas para os clientes e colegas e também pela preocupação em aumentar o índice geral de satisfação do cliente. Este programa é chamado de Moeda Atitude.

Avaliar outros itens é fundamental para mostrar aos vendedores o que a empresa espera deles e para moldar o comportamento da equipe.

CONCLUSÃO

Muitas empresas subestimam o poder de suas estratégias mais comuns. Conforme vimos, as metas estão longe de serem apenas uma forma de controlar o faturamento e o desempenho do vendedor: as metas têm um papel estratégico.

Infelizmente, ainda vemos empresas determinando metas de forma ineficiente, com base nos faturamentos históricos, em projeções, e, até, em desejos. Muitas vezes, a pessoa que determina a meta de vendas nunca esteve na região atendida pela empresa, nunca conversou com o vendedor sobre a realidade da área onde este atua ou realizou uma análise de potencial financeiro da região em questão.

Mais grave do que isto, entretanto, é não saber que as metas devem ser justificáveis, que metas inalcançáveis levam o vendedor a desistir de seus objetivos. Quando cada vendedor determina sua própria meta ele a alcança com mais facilidade. As metas devem ser globais e a apuração semanal das metas possibilita a aceleração dos negócios. Enfatizar o percentual já atingido da meta é muito melhor do que enfatizar o quanto falta para alcançá-la, pois o vendedor deve ter mais informações positivas do que negativas na avaliação de seu trabalho. E é bom enfatizar que avaliar os vendedores também por metas não financeiras pode gerar uma mudança positiva no comportamento dos mesmos. Existe ouro em lugares onde o gestor não espera.

Estou certo de que, a partir de agora, você irá pesar, com mais atenção, os prós e contras de cada estratégia que irá adotar, por mais insignificante que ela pareça. Melhor ainda: estou certo de que, além disso, você também irá buscar artigos científicos para estabelecer as estratégias de forma mais adequada.

Capítulo 6

O PODER (NEGATIVO) DE *RANKINGS*

As falhas das empresas na gestão de equipes de vendas são quase sempre as mesmas. Uma delas é criar *rankings* de vendas para "motivar" os vendedores a sempre melhorar seus resultados. Quem já foi a uma concessionária de automóveis deve ter percebido que, na sala de reuniões ou na do gerente de vendas, há um quadro com o *ranking* de vendas do mês. Muitos destes quadros, inclusive, sofisticam o *ranking* colando imagens dos carros que cada vendedor comercializou no mês, tornando o *ranking* bem visível não só para os vendedores, mas também para os clientes. Será que esta prática é realmente eficiente para motivar os vendedores e criar o que muitos gerentes chamam de competição saudável na equipe, ou será que existem efeitos que desconhecemos em decorrência da exposição destes *rankings*?

RANKINGS NÃO MELHORAM RESULTADOS

Iwan Barankay, professor da Wharton School, também estava curioso para saber qual era o verdadeiro efeito que certos *rankings* de vendas causam no comportamento dos vendedores: será que o *ranking* assim exposto não faz com que os vendedores, colocados na parte inferior, sintam-se envergonhados e, com isto, sintam-se motivados para obter melhores resultados? E quanto aos vendedores que estão no topo do *ranking*? Será que eles passarão a se esforçar ainda mais para manter suas posições? Os resultados que Barankay obteve estudando 1.754 vendedores, durante três anos, irão deixar os adeptos deste tipo de *ranking* decepcionados. O pesquisador descobriu que os vendedores que não recebiam informações sobre como estavam ranqueados em relação aos seus colegas vendiam 11% a mais que aqueles que recebiam informações sobre suas colocações no *ranking*. Ele descobriu, também, que um grupo de vendedores que recebia apenas informações de como estava colocado no *ranking* (sem comparação com seus colegas) e quanto deveria melhorar sua performance para atingir os top 10%, 25% ou 50% do *ranking* também melhorou sua performance, provavelmente porque, desta forma, esse grupo conseguia enxergar a linha de chegada[1].

O fato curioso deste estudo foi a descoberta de que ter um *ranking* que compara as pessoas e mostra o quanto elas devem melhorar, em suas performances, para atingir um resultado satisfatório, ou não ter um *ranking*, não fez diferença alguma na quantidade de vendas. Porém, outras diferenças importantes na performance dos vendedores nos levam a tentar responder se a divulgação de *rankings* é positiva ou negativa.

BOAS NOTÍCIAS X MÁS NOTÍCIAS

Conforme comentei anteriormente, as empresas têm simpatia por divulgar *rankings*, pois intuem que, tanto os vendedores que estão na parte de baixo quanto os da parte de cima, gostariam de melhorar seus resultados. Porém, confiar apenas na intuição, sobre como as coisas funcionam efetivamente, leva as empresas a, muitas vezes, tomarem decisões infelizes, pois como já vimos em diversas oportunidades o ser humano funciona de uma forma diferente daquela que as pessoas imaginam.

Em sua pesquisa, Iwan Barankay descobriu que, após receberem notícias positivas de que estavam bem colocados no *ranking*, os vendedores não melhoraram nem pioraram suas performances, contrariando a expectativa e a intuição da maioria das empresas. Isto significa que os vendedores colocados nos primeiros lugares podem até ter sido motivados pela divulgação do *ranking*, mas esta motivação não melhorou o desempenho dos mesmos. Da mesma forma, a performance dos vendedores que receberam notícias de que estavam mal colocados não foi a esperada pelas empresas: eles venderam 28% a menos nos meses seguintes, quando comparados com seus colegas também mal colocados mas que não receberam informações sobre o *ranking*[2]. Estas descobertas colocam em cheque a falsa percepção que as empresas têm sobre os efeitos de comparar de forma expositiva a performance das pessoas.

DIFICULTAÇÃO SOCIAL

Imagine que você tem o hábito de correr sozinho num parque. A cada dia que corre, você tenta melhorar o seu tempo, sem grande sucesso. Até o dia em que resolve entrar para um grupo de corrida. A partir deste momento, por mais incrível que pareça, seu tempo melhora a cada dia pelo simples fato de sempre estar correndo na companhia de alguém. Certamente, você já conheceu alguém que tem uma história parecida com esta, se é que este "alguém" não é você mesmo. Este fenômeno, que demonstra termos melhor performance em certas tarefas quando estamos na companhia de alguém, ou quando estamos sendo observados por outras pessoas, já foi percebido não apenas em seres humanos bem como em diversos outros animais. Ele se chama facilitação social, e foi descoberto pelo psicólogo americano Norman Triplett em 1898[3]. Mais de 70 anos depois, o psicólogo polonês Robert Zajonc fez uma descoberta que viria complementar o trabalho de Triplett. Num experimento, publicado em 1969 pelo *Journal of Personality and Social Psychology*, Zajonc percebeu que a presença de uma plateia melhorava a performance de animais em certas ocasiões, mas que em outras fazia com que o desempenho dos mesmos piorasse[4]. Mas, então, a presença de outras pessoas melhora ou piora a performance de quem está executando uma tarefa? Estou certo de que a resposta a que você chegou é depende, e você está certo. Zajonc percebeu que os animais estudados, quando observados por outros, tinham melhor performance em tarefas de baixa complexidade - como correr em uma única pista. Mas, quando a tarefa apresentava qualquer dificuldade - como, de repente, os animais terem a possibilidade de escolher três caminhos diferentes - o desempenho destes era pior quando uma plateia os assistia - sozinhos, eles tinham melhores resultados. Os resultados dos animais dependiam da natureza da tarefa. Só por curiosidade, os animais que Zajonc estudou eram... baratas!

A comparação dos resultados deste experimento com o estudo sobre incentivos financeiros e performance, de Dan Ariely e seus colegas, é inevitável. Da mesma forma que incentivos financeiros funcionam apenas em tarefas de baixa complexidade, plateias também funcionam apenas em tarefas de baixa complexidade. Como já vimos, a tarefa de um vendedor é de alta complexidade. Quando optamos por trabalhar com um *ranking* e, principalmente, por divulgar este *ranking* para os colegas e clientes, acabamos criando uma plateia para o vendedor, o que consequentemente irá impactar negativamente no seu desempenho. *Rankings* em vendas criam uma dificultação social.

COMPETIÇÃO "SAUDÁVEL". PRA QUEM?

A verdade é que, sempre que um *ranking* é divulgado, a maioria dos vendedores recebe a informação de que está abaixo ou dentro da média. Poucos recebem a informação de que estão acima da média. Apenas esta análise - sem falar nos estudos que serão apresentados posteriormente - nos dá uma noção de que a divulgação de *rankings* gera mais mal do que bem para uma equipe.

Ao saberem que *rankings*, além de não melhorarem a performance das pessoas colocadas no topo, ainda conseguem piorar os resultados das pessoas mal colocadas (que geralmente são a maioria), as empresas deveriam abandonar ou, ao menos reavaliar, este procedimento para obterem melhores resultados em vendas. O estudo de Iwan Barankay ainda mostrou que a performance dos vendedores ranqueados abaixo da média piorou justamente porque eles se sentiram desmoralizados após a divulgação dos resultados.

Quando a maioria dos vendedores recebe notícias ruins, podemos esperar uma queda na performance da equipe como um todo se não acontecerem no caminho muitas outras coisas boas para compensar. Isto tudo se levarmos em conta o estudo da Linha de Losada, apresentado anteriormente. Além disso, vale lembrar que as notícias negativas fazem o nosso corpo produzir cortisol o que, consequentemente, eleva os níveis de estresse. O estresse é uma condição ligada ao câncer, a doenças cardíacas, à obesidade, à depressão, ao Alzheimer, à impotência sexual e ao diabetes tipo 2, apenas para citar apenas algumas consequências do estresse[5].

Às vezes tentamos gerar uma competição "saudável" dentro de uma empresa, mas parece que acabamos conseguindo exatamente o contrário.

TENDÊNCIA DA RESPONSABILIDADE

Outros problemas surgem quando as empresas usam *rankings*, que, como já vimos, este tipo de estratégia beneficia poucos vendedores. *Rankings* afetam negativamente não apenas a performance do vendedor, mas, também, o lado psicológico do mesmo: e justamente aqui é que está o problema. Os demais vendedores, ranqueados nas partes medianas ou baixas do *ranking*, além de ficarem desmoralizados, tentarão achar todos os tipos de justificativa para afirmar que o *ranking* não é confiável, ou irão culpar outros fatores por não estarem entre os primeiros. Estou certo de que esta reação, natural e explicável, já foi enfrentada por muitos líderes de vendas.

Em 1979, os pesquisadores canadenses Michael Ross e Fiore Sicoly nos presentearam com um estudo muito interessante, que explica exatamente os motivos pelos quais as pessoas, desmoralizadas quando informadas de seus maus resultados, passam a desconfiar do *ranking*. Eles perguntaram para diversos casais quanto por cento dos serviços da casa era feito pela esposa e quanto por cento era feito pelo marido. Dentre estes serviços estavam os de arrumar as crianças, organizar a casa, limpar a louça, tirar o lixo, entre outros. Como você pode imaginar, quando os pesquisadores somaram os percentuais indicados pelas partes verificaram que, em três de cada quatro casais, a soma dos percentuais foi superior a 100%. O mesmo método foi usado para avaliar a percepção de participação de cada indivíduo em equipes de trabalho em empresas. Cada um foi questionado sobre o percentual de sua participação no resultado total da equipe, ou seja, cada um tinha de dizer quanto por cento do trabalho da equipe era feito por ele. Em equipes de três a seis pessoas, a soma dos percentuais era sempre superior a 140%. Ross e Sicoly nomearam este efeito de Tendência da Responsabilidade, ou seja, as pessoas exageram ao pensar nas suas contribuições em relação às outras[6]. Você já ouviu alguém da sua equipe falar que fez todo o trabalho mas que outro vendedor foi reconhecido no seu lugar? Ou que o colega que ficou em primeiro lugar só obteve esta posição porque era um puxa-saco do chefe? Ou, ainda, que isto aconteceu porque o colega em questão atende a melhor região? Você se lembra de algum colega de trabalho que diz que, sem ele, as coisas não acontecem? Você se lembra, por acaso, se não foi você mesmo quem falou o que está contido em uma destas quatro frases (ou nas quatro)?

Em seu brilhante livro Hard Facts, os professores da Stanford Jeffrey Pfeffer e Robert Sutton demonstram diversos estudos que comprovam que, em qualquer esfera da vida, as pessoas consideram-se acima da média, não reconhecem sua falta de competência, querem para si todo o crédito pelos seus sucessos e quase sempre culpam os outros pelos seus fracassos[7]. Não existe nada de mais verdadeiro no mundo das vendas! Na época em que eu era executivo, lembro-me de uma situação complicada que aconteceu em uma das empresas onde trabalhei. A empresa lançou um concurso no qual ficou estabelecido que o vendedor que mais vendesse no período de um ano iria ganhar uma passagem para assistir aos jogos da Copa do Mundo. No final da campanha, dois vendedores estavam disputando o prêmio e, de uma hora para a outra, um deles conseguiu vender um número muito expressivo, passando o outro de longe. O que você acha que aconteceu com o vendedor que perdeu o prêmio? Ele não aceitava a derrota de forma alguma e, tentando desmoralizar o concurso, começou a falar que a empresa estava tentando ajudar o outro vendedor. O vendedor derrotado chegou até mesmo a colocar um cliente, que havia comprado uma grande quantidade de produtos, contra a empresa, o que fez com que este cliente chegasse a ameaçar cancelar todos os seus pagamentos se o *ranking* não fosse refeito. Obviamente, a empresa não se submeteu à indevida pressão. Com isto vemos que, enquanto uns não aceitam a derrota, acreditando que seus resultados foram melhores do que os divulgados e desmerecendo os vitoriosos, outros levam a Tendência da Responsabilidade ainda mais a sério e tentam desmoralizar também a empresa.

O EFEITO IKEA

Imagine que você está participando de um experimento científico e um pesquisador pede para que você faça um origami, uma daquelas dobraduras japonesas. Ele te fornece um papel especial e as instruções de como dobrá-lo. Depois de algum tempo, tendo dificuldades para montar o origami, finalmente você consegue terminá-lo. Posteriormente, você é chamado pelo pesquisador, que lhe mostra o origami que você montou e pede para que você diga quanto (entre US$ 0 e US$ 1,00) ele vale. Em outro momento, o pesquisador chama outras pessoas que não construíram origamis para avaliar quanto pagariam pelo seu origami. O valor que você pagaria pelo seu origami é o mesmo que os outros pagariam? Ou a percepção de valor das duas partes é distinta? Quando o prof. Dan Ariely, da Duke University, junto com seus colegas Michael Ross, da Harvard, e Daniel Mochon, da A. B. Freeman School of Business, realizaram esta pesquisa, eles descobriram que, em média, quem dobrou um origami avaliava sua criação com um valor praticamente cinco vezes maior do que o que as pessoas que não o dobraram acreditavam que ele valesse (US$ 0,23 x US$ 0,05). Até aqui, não descobrimos nada de diferente, afinal, isto é um sinal da Tendência da Responsabilidade: as pessoas tendem a valorizar seus próprios trabalhos. Mas algo aconteceu neste estudo que mudou a forma como avaliamos esta tendência do ser humano em achar que é melhor do que os outros. O grupo que não construiu nenhum origami também foi designado para avaliar outros origamis, feitos por pessoas com extrema experiência. O valor que este grupo atribuiu aos origamis feitos por experts foi, em média, muito parecido com o valor que os construtores de origamis inexperientes atribuíram para suas próprias criações (US$ 0,27 x US$ 0,23)[8]. Ariely e seus colegas revelaram, neste estudo, que qualquer tarefa que exija um esforço faz com que as pessoas valorizem exageradamente suas criações.

Com *rankings*, acontece a mesma coisa: por mais que o *ranking* seja visível e os números possam ser conferidos, os vendedores colocados em posições inferiores também fizeram esforço para atingir seus resultados e, portanto, irão encontrar uma forma de desmerecer o *ranking* e o trabalho dos primeiros colocados. Sempre vai surgir um vendedor falando que foi ele quem fez a venda mais difícil de todas ou que o primeiro colocado é amigo do chefe, ou que a sua região é a pior de todas, ou que a empresa só deu descontos para as outras regiões e assim por diante.

OS NÃO FUNCIONÁRIOS DO MÊS

Toda estratégia que separa as pessoas em ganhadores, nada especiais e perdedores tem um final trágico. *Rankings* fazem exatamente isto. Numa tentativa de reconhecer o trabalho dos ganhadores, as empresas acabam esquecendo que a maioria dos demais acaba classificada como nada especiais e perdedores, o que fatalmente irá gerar pior performance em vendas.

Além disso, o reconhecimento que a empresa confere para os primeiros colocados ou para o funcionário do mês, como muitas companhias costumam fazer, consequentemente gera o mal justamente para a pessoa que foi reconhecida. As demais pessoas da equipe, ou os não funcionários do mês, começam a isolar o funcionário do mês, pois ele não faz parte da turma deles. Este tipo de comportamento soa como algo comum para você?

Inúmeros estudos científicos apontam para este problema, porém, poucas empresas se dão conta deste efeito. O psicólogo Roberto Cialdini revela através de seus estudos que as pessoas preferem se relacionar com pessoas parecidas com elas mesmas, o que ele chama de Princípio da Simpatia[9]. Uma forma de descobrir quem é parecido comigo na empresa é verificar quem está numa colocação próxima à minha no *ranking*. Conforme vimos, como a maioria das pessoas estará em colocações desfavoráveis, elas formarão um grupo que consequentemente será diferente do pequeno grupo dos primeiros colocados ou do funcionário do mês. Acontece que o grupo dos não funcionários do mês será maior e mais forte do que o grupo dos primeiros colocados e, quando este tipo de separação acontece, um grupo começa a boicotar o outro. Quem acabará sofrendo mais neste tipo de situação será o grupo dos primeiros colocados, pois é menor e mais fraco. Estou certo de que você já presenciou este tipo de comportamento na empresa, no qual existem separações claras entre as pessoas de acordo com suas performances e outras similaridades, sendo que o pior destes grupos geralmente é o dos vendedores que são considerados os "piores" da equipe. E, novamente, convém lembrar que a performance de um vendedor não depende somente dele mesmo e tem uma relação direta com a segurança financeira ou a falta dela. Estes vendedores acabam intoxicando o ambiente de trabalho com sua negatividade e adivinhe de quem é a culpa? Da própria empresa, que se utiliza de *rankings* e, com isto, acaba separando as pessoas umas das outras.

Como você pode perceber, o resultado de *rankings*, dos reconhecimentos através de prêmios, entre outras ações que premiam a alguns poucos, acaba por prejudicar tanto as pessoas premiadas quanto as não premiadas. A falta de conhecimento científico fará com que muitas empresas continuem boicotando a si mesmas.

CONCLUSÃO

Após nos adaptarmos a certa realidade e passarmos a aceitá-la, é sempre difícil descobrir que muitas coisas que pensávamos estarem certas, na verdade, contêm falhas graves. O gestor de vendas que quer alcançar resultados diferentes e colocar sua equipe num novo patamar deve aprender a questionar "verdades" pré-estabelecidas.

Num primeiro momento, é difícil acreditar, por exemplo, que os vendedores irão preferir entradas para o cinema ao invés de dinheiro vivo ou bens materiais, porque a imagem que temos destes profissionais (e a que eles mesmos, muitas vezes, têm de si próprios) é a de que eles são movidos unicamente por dinheiro. Ao aplicar estas estratégias, poderá surgir uma resistência inicial, pois os próprios vendedores não sabem corretamente o que os motiva. Por esta razão, o gestor comercial deve ter muita paciência e comprometer-se, firmemente, em executar a estratégia em longo prazo. Da mesma forma que uma semente não dá frutos de um dia para o outro, os resultados destas estratégias não são visíveis em curto prazo, o que faz com que muitos gerentes imediatistas acreditem que elas não estão funcionando. Toda vez que dúvidas como esta surgirem, lembre-se de que estas ações são comprovadas pela ciência como efetivas, respire fundo e continue executando-as.

Uma equipe que recebe os prêmios certos, que determina suas próprias metas, que possui metas globais, que não se torna refém do Conformismo Aprendido, que trabalha com metas semanais, que recebe um alerta ao atingir o Ponto X e que não é avaliada apenas através de *rankings* certamente irá obter resultados excelentes e consistentes em longo prazo.

Parte 2
RESUMO

• *Incentivos não financeiros, como entradas para o cinema, jantares, viagens e flexibilidade de horário, trazem motivação de longo prazo e são ideais para uma equipe de vendas.*

• *Incentivos financeiros e bens materiais geram apenas motivação momentânea, pois os vendedores se adaptam rapidamente ao dinheiro e aos seus novos pertences, esquecendo-os rapidamente e querendo sempre mais.*

• *Ao atingir uma meta, toda a equipe deve ser premiada. Ao não atingir a meta, ninguém deve ser premiado.*

• *Prêmios devem ser iguais para todo mundo. Prêmios diferentes para pessoas que fazem o mesmo trabalho geram conflitos e diversos outros problemas.*

• *Prêmios devem ser dados, de vez em quando, de surpresa, sem sequência lógica de tempo.*

• *No entanto, nos casos onde o prêmio é uma experiência única, avise aos vendedores com antecedência para que eles se motivem antes, durante e após desfrutarem o prêmio.*

• *As pessoas ficam extremamente felizes com muito menos do que as empresas imaginam. Seja criativo ao dar premiações.*

• *Conceder prêmios que possibilitam ao vendedor premiar seu próprio colega de trabalho resulta em mais felicidade para todos.*

• *Prêmios com cunho pró-social, que ajudam, por exemplo, uma instituição de caridade, motivam muito as pessoas e as deixam mais felizes.*

• *Metas devem ser desafiadoras, porém alcançáveis e justificáveis.*

• *Quando cada vendedor determina sua própria meta, ele a atinge com mais facilidade.*

• *Metas inalcançáveis causam Conformismo Aprendido, ou seja, os vendedores aprendem a não alcançar as metas estabelecidas e, com o passar do tempo, começam a desistir facilmente quando encontram dificuldades no seu trabalho.*

• *Metas globais, para toda a equipe, são mais saudáveis e eficientes do que as metas individuais.*

- *Metas semanais fazem com que o vendedor alcance o Ponto X com mais facilidade e, com isso, possa acelerar para o seu atingimento.*

- *Sempre mostre aos vendedores o quanto da meta já foi atingido e não o quanto falta para ser atingido. Mostrar às pessoas que elas já tiveram algum progresso no atingimento do objetivo faz com que elas acelerem seus ritmos e se sintam mais motivadas.*

- *Acompanhamento diário de metas aumenta a quantidade de informações negativas no dia do vendedor, o que resulta em pior performance e estresse.*

- *Avise a equipe quando ela atingir o Ponto X, ou seja, quando 70% da meta estiver batida. Desta forma, o cérebro das pessoas começará a liberar as substâncias responsáveis pelo aceleramento e as metas serão alcançadas com mais facilidade.*

- *Avalie os vendedores também por metas não financeiras, mas não exagere na quantidade de itens avaliados.*

- *Rankings de vendas não melhoram os resultados dos vendedores classificados no topo.*

- *Vendedores que não recebem feedbacks através de rankings vendem mais do que seus colegas que sabem como estão sendo ranqueados.*

- *Vendedores que recebem notícias de que estão mal colocados no ranking passam a vender menos.*

- *Rankings criam uma "plateia" para o vendedor, o que causa dificultação social, pois a atividade de vendas é de natureza complexa.*

- *Nenhuma disputa dentro de uma empresa é saudável.*

- *Pessoas mal colocados no ranking começarão a arrumar desculpas pela sua performance ruim, tentarão desmoralizar o ranking e começarão a desmerecer os primeiros colocados.*

- *A Tendência da Responsabilidade faz com que as pessoas sempre acreditem que atingiram resultados melhores do que o ranking mostra.*

- *O ser humano tende a valorizar seu trabalho em relação ao trabalho de outras pessoas, tendo uma visão distorcida da realidade.*

- *O grupo de vendedores mal colocados irá se afastar dos primeiros colocados, gerando desunião da equipe comercial.*

PARTE 3

COMO CONTRATAR, MOTIVAR E GERENCIAR DE FORMA CERTA

As estratégias para remunerar, premiar e estipular metas são extremamente importantes para o sucesso de uma equipe de vendas, porém, existem estratégias que antecedem a estas e são igualmente fundamentais. A maneira como um gestor contrata, lidera, inspira os vendedores e cria um ambiente de trabalho positivo é o primeiro passo para o êxito na implementação das demais estratégias.

Na parte final deste livro, você irá conhecer quais são as características mais importantes para o sucesso de um vendedor, para que possa contratar as pessoas certas. Irá descobrir como inspirar a equipe para que seus membros encontrem uma razão maior do que simplesmente o dinheiro para trabalharem permanentemente motivados, além de entender porque a tentação de exercer um controle demasiado sobre os vendedores é maléfica, não somente para os vendedores, mas, principalmente, para os gestores.

Capítulo 7

CONTRATANDO AS PESSOAS CERTAS

Em seu livro *Good to Great*, o autor americano Jim Collins afirma que o velho ditado de que "as pessoas são o bem mais importante de uma empresa" está errado. Collins diz que as pessoas não são o bem mais importante de uma empresa, mas que as pessoas certas o são[1]. Isto significa que um gestor deve ter grande cuidado na hora de contratar vendedores. Não será surpresa para você o fato de que a forma de contratar adotada por muitos gestores apresenta falhas e poderia ser mais eficaz, começando pela maneira como avaliam as habilidades do candidato.

O DOM DE VENDER

É muito comum ver pessoas de sucesso sendo apontadas pelos seus amigos, colegas de trabalho e superiores como profissionais especiais, que "nasceram" para realizar seus trabalhos. Porém, como vimos nos capítulos anteriores, a performance das pessoas depende amplamente da estratégia da empresa e, no mundo atual, apenas uma fração dos funcionários de uma empresa consegue se destacar. Esta situação faz com que as empresas e as pessoas confundam o sucesso baseado em fatores psicológicos com o sucesso baseado em fatores biológicos. No mundo das vendas, quantas vezes você já ouviu alguém falando que certa pessoa nasceu para vender? Ou, ainda, que certo profissional tem o dom das vendas enquanto outros não o têm? Mas será que o dom é realmente algo que tem peso tão preponderante no sucesso das pessoas? K. Anders Ericsson, um professor da University of Florida que vem estudando a razão do sucesso de diversos profissionais, tem motivos para acreditar que não.

Em seus estudos com cientistas, músicos, atletas e inúmeros outros profissionais, K. Anders Ericsson descobriu que o sucesso destas pessoas devia-se à prática deliberada da atividade por aproximadamente dez anos, ou por 10.000 horas[2]. Foi neste estudo que surgiu a Regra das 10.000 horas, hoje mais conhecida do público em geral. Isto significa que o sucesso de uma pessoa não tem relação direta com a loteria genética, em que alguns têm a sorte de ter nascido com uma predisposição para certa atividade, mas, sim, com a prática da atividade. Ao se estudar nomes como Bill Gates, Steve Jobs, Tiger Woods, Michael Jordan e, inclusive, os Beatles, percebe-se que todos eles tiveram na prática o seu grande diferencial para o sucesso. O maior jogador de futebol de todos os tempos, o humilde Edson Arantes do Nascimento, conhecido em todo o mundo como Pelé, disse em certa ocasião que "Tudo é prática". Justamente ele que poderia facilmente dizer que nasceu com o dom de jogar futebol. Lembro de uma oportunidade em que a camisa da seleção brasileira tinha os dizeres "nascido para jogar futebol" na parte interna da gola. Esta frase pode ter sido um dos motivos do fracasso da seleção na Copa do Mundo daquele ano, afinal, quem é "nascido para jogar futebol" não precisa treinar.

Em equipes comerciais, é muito comum observar gerentes dizerem que certos vendedores não têm o dom, ao invés de buscar treiná-los e desenvolvê-los. É comum também observar gestores que dão preferência à contratação de profissionais que eles, gestores, acreditam ter o "dom das vendas", enquanto outras características são mais importantes para o sucesso de um profissional da área comercial.

O PRIMEIRO CONTATO GERA A EXCELÊNCIA

Gerentes que não se dão ao trabalho de desenvolver as suas equipes deveriam conhecer melhor o trabalho do famoso professor da University of Chicago, Benjamin Bloom, que fez uma grande contribuição ao mundo dos negócios. Bloom descobriu o que motivava as pessoas de sucesso a praticarem suas atividades. Em seus estudos, Bloom revelou que várias pessoas de sucesso não demonstravam ter sido mais talentosas do que as outras em sua infância, porém, desvendou que o que fez a grande diferença na vida destas pessoas foi o primeiro contato com a atividade. Quando o primeiro professor fez com que a atividade fosse divertida, a criança ficava motivada. Esta motivação levava à prática (por mais de 10.000 horas, possivelmente) e a prática, consequentemente, levava à excelência[3]. Transferindo esta descoberta para o mundo das vendas, vemos que o primeiro líder (ou o próximo líder, dependendo da sua aplicação dos conceitos deste livro) tem o dever de fazer com que a atividade de vendas seja algo divertido.

Vale lembrar também dos estudos da profª. Carol Dweck, da Stanford: o líder que quer desenvolver seus vendedores deve mostrar-lhes que a inteligência é flexível, não fixa. Para que os vendedores sintam prazer na atividade que desenvolvem, eles devem acreditar que podem ser cada vez melhores nesta atividade. A profª. Teresa Amabile, da Harvard, e seu colega Steven Kramer nos apresentam uma pesquisa muito interessante, no seu livro The Progress Principle, feita durante um ano, com 238 pessoas de sete empresas diferentes e que analisou mais de 120.000 variáveis. Amabile e Kramer descobriram que, na avaliação dos participantes, os melhores dias em seus trabalhos foram os dias em que eles conseguiram progresso nas tarefas. Este progresso, que motiva as pessoas, segundo os pesquisadores, é um progresso gradual, obtido através de pequenas conquistas diárias[4].

Instruir os vendedores da sua empresa sobre como a inteligência das pessoas cresce com o passar do tempo e com a prática da atividade é a forma correta de fazer com que o primeiro contato dos vendedores com o gestor seja positivo, ajudando-os a encarar sua profissão de forma divertida, incentivando-os a praticar sua atividade, fazendo-os alcançar pequenas conquistas diárias, as quais, consequentemente, os levarão à excelência na profissão de vendas.

VENDEDORES EXTROVERTIDOS SÃO OS MELHORES. SERÁ?

Muitos gerentes de vendas acreditam que o melhor perfil para esta profissão é o de pessoas extrovertidas – aquelas que falam com desenvoltura, não têm vergonha e, às vezes, são até meio caras de pau com o cliente. Porém, um estudo recente pode mudar a opinião destes gerentes. Em 2012, o prof. Adam Grant, da Wharton School, analisou a performance de vendas de 300 vendedores de uma empresa que comercializava softwares e descobriu que os vendedores extrovertidos vendiam uma média de US$

125,19 por hora, enquanto os introvertidos geravam uma média de US$ 120,10 por hora – até aqui, nada de diferente do que ouvimos falar sobre a melhor performance dos extrovertidos. Porém, outro grupo de vendedores, o qual Grant nomeou de ambivertidos - vendedores que estão no meio da escala de Introversão x Extroversão – alcançavam uma média de US$ 154,77. Além disso, Grant descobriu que os funcionários que alcançavam o maior faturamento por hora (US$ 208,34) também eram os ambivertidos[5]. Você pode fazer este teste de ambiversão online de forma gratuita acessando www.scienceofpeople.com/2014/12/ambivert-extrovert-introvert/. Esta é uma grande ferramenta para você passar a usar nos seus testes de seleção.

A razão desta diferença de performance se dá pelo fato de as pessoas ambivertidas saberem se portar melhor diante das situações que encontram: quando elas percebem que o cliente não está com um ânimo muito bom em certo dia, elas se adequam à situação com mais facilidade, diferentemente do vendedor extrovertido. A boa notícia para os gerentes de vendas é que a maioria das pessoas tem perfil ambivertido.

Apesar de a ambiversão ser extremamente importante para selecionar vendedores, ela não deve ser a sua única forma de escolher.

O ESTILO EXPLANATÓRIO

Imagine que você está num supermercado com mais 200 pessoas quando, de repente, ladrões invadem o supermercado para assaltá-lo. No meio da confusão, um dos assaltantes dispara a sua arma e este único tiro acerta o seu braço esquerdo. Como você iria encarar esta situação? Sorte ou azar? Martin Seligman, professor da University of Pennsylvania, previu por meio de estudos que a performance que você tem no trabalho depende fortemente da forma como você encara acontecimentos como este. Pessoas que têm o que Seligman chama de Estilo Explanatório Pessimista entendem que acontecimentos como este são puro azar. Pessoas com o Estilo Explanatório Pessimista acreditam que situações ruins são permanentes, generalizadas e nunca irão mudar. Enquanto isto, pessoas que têm um Estilo Explanatório Otimista avaliam situações como esta como pura sorte e enfrentam as adversidades como se elas fossem temporárias, específicas e com possível desfecho positivo[6].

Pessoas com um Estilo Explanatório Pessimista dizem que a situação no supermercado foi terrível, que havia outras 200 pessoas no mercado e justamente ela foi ferida com um tiro, portanto, é extremamente azarada. Ao aplicar dinâmicas parecidas com esta em empresas, o prof. Shawn Achor, da Harvard, diz que sempre ouve executivos falando que, certamente, existiam outras pessoas no mercado que mereciam levar o tiro que ele levou[7]. Em minha experiência como professor e instrutor de treinamentos, já trabalhei com pessoas e equipes extremamente negativas que inventavam inúmeros argumentos para dizer que as estratégias apresentadas (por mais que fossem comprovadas cientificamente como eficientes) não iriam funcionar na empresa onde trabalhavam. Por outro lado, profissionais com um Estilo Explanatório Otimista dizem que tiveram sorte porque o tiro acertou o braço ao invés de um órgão vital ou que a situação foi de sorte porque ninguém mais saiu ferido ou, ainda, que foi uma tremenda sorte nenhuma criança ter sido ferida. Esta forma de encarar situações de forma positiva ou negativa prevê inclusive a performance de atletas[8] e as chances de maior ou menor recuperação de pacientes que se submetem a cirurgias de pontes de safena[9].

Trazendo esta pesquisa para o mundo comercial, a diferença entre a maneira como cada vendedor avalia as situações do dia a dia pode ser um grande previsor de vendas. Quando Martin Seligman começou a trabalhar com os corretores da empresa de seguros MetLife, ele percebeu que os corretores otimistas vendiam 37% a mais do que os pessimistas; além disso, Seligman concluiu que os corretores ranqueados entre os mais otimistas vendiam 88% a mais do que os colegas pessimistas. Com estas informações, a Metlife contratou um grupo de corretores avaliando apenas qual era o Estilo Explanatório do profissional, para realizar um teste de eficácia do método. No ano seguinte, estes corretores venderam 21% a mais do que os corretores pessimistas e, no segundo ano, bateram seus colegas pessimistas em 57%. Com a certeza de que o Estilo Explanatório do corretor tinha uma relação direta com o seu desempenho, a MetLife passou a contratar corretores baseada principalmente no Estilo Explanatório. Em poucos anos, a rotatividade de corretores desabou na Metlife, enquanto a empresa aumentou sua taxa de participação no mercado em quase 50%[10].

O questionário que avalia o Estilo Explanatório das pessoas pode ser encontrado em http://web.stanford.edu/class/msande271/onlinetools/Learned.pt.html

VENDEDORES DEVEM SER DOADORES

Uma das maiores contribuições que o prof. Adam Grant fez, por meio de suas pesquisas, foi revelar exatamente o perfil dos profissionais de maior sucesso neste mundo. Em seu brilhante livro Dar e Receber, Grant revelou que não importa a área onde o profissional trabalha: se ele tiver o perfil de Doador, certamente terá sucesso. Doadores, no conceito de Grant, são aquelas pessoas que ajudam as outras sem esperar nada em troca. Os outros perfis estudados são os dos Tomadores, aqueles que recebem favores e não os retribuem; e o dos Compensadores, aqueles que ajudam os outros esperando receber algo em troca[11].

Num estudo que Grant fez, em uma rede de óticas americana, todos os vendedores daquela rede preencheram um teste para que Grant analisasse o perfil de cada um: Tomador, Compensador ou Doador. Grant descobriu que o vendedor com a maior classificação como Doador no teste era também o maior vendedor da rede de óticas, trazendo mais do que o dobro do lucro conseguido pela média dos demais vendedores da empresa. O segundo lugar em vendas também tinha o perfil Doador. Num outro estudo, feito também com óticas, Grant descobriu que os Doadores traziam 30% a mais de lucro do que os Compensadores e 68% a mais do que os Tomadores. Ao estudar qual seria o impacto no faturamento da empresa se todos os vendedores fossem Doadores, Grant descobriu que o valor cresceria mais de 31%[12].

Felizmente, como um grande Doador que é, o prof. Adam Grant disponibiliza em seu site o teste feito por ele, de forma gratuita, para todos poderem realizá-lo. Basta acessar http://www.giveandtake.com/#!evaluateyourself/c10x3 para testar o seu perfil. Pelo motivo de o teste estar disponível apenas em inglês, caso você não tenha domínio da língua, pode começar a avaliar o perfil de seus amigos que falam inglês e pedir para que algum deles traduza o teste para você. Aqueles que fizerem sem pedir nada em troca serão Doadores, aqueles que pedirem algo em troca depois de um tempo são Compensadores e aqueles que fizeram algo diferente dos outros dois não merecem sua amizade, pois são Tomadores. Depois de ter o teste traduzido, você mesmo pode aplicá-lo em português para a sua equipe e para futuros membros da empresa, usando uma escala de percentual de respostas para determinar o perfil de cada profissional.

É importante ressaltar que, da mesma forma que a nossa inteligência não é fixa, o nosso perfil de Doador, Compensador ou Tomador também não é fixo. Nós sempre podemos mudar nossa realidade, basta querermos e nos esforçarmos.

CONCLUSÃO

Muitos gestores baseiam suas decisões de contratação em fatores simples, como, por exemplo, a experiência do entrevistado na venda dos produtos comercializados pela empresa. Poucos atentam para a realidade de que o conhecimento do produto é, talvez, um dos fatores menos importantes para o sucesso do vendedor. Aprender as características técnicas de um produto ou serviço é, na maioria das vezes, tarefa fácil. Por outro lado, saber ajustar o seu nível de extroversão ou desenvolver um estilo explanatório otimista são habilidades que levam tempo para serem dominadas.

Ao contratar um vendedor, é importante que o gestor analise o perfil de extroversão, o estilo explanatório e avalie qual o perfil do vendedor: se é do tipo doador, compensador ou tomador, para que o processo de desenvolvimento deste profissional seja menos trabalhoso. Mas, como nenhum vendedor vem pronto, é também papel do gestor de vendas aprender e, posteriormente, treinar estes profissionais na execução destas habilidades. Nada impede que até mesmo os vendedores já contratados e que não apresentam algumas características importantes para o desenvolvimento do trabalho de vendas possam receber treinamento para poderem exercer melhor as suas funções.

Capítulo 8

BUSCANDO PROPÓSITO

Qualquer profissional, para ter sucesso, precisa de motivação. Apesar de o termo "motivação" ser muito abrangente, ele pode ser entendido mais facilmente como "o desejo de agir". Este desejo nem sempre é claro para algumas pessoas e muitas delas o confundem com o atingimento de algum objetivo. Porém, atingir um objetivo é apenas uma forma temporária de motivação, afinal, logo após atingirmos um objetivo já estamos buscando outro. A motivação verdadeira é aquela que transcende um período específico de tempo, aquela que tem longa duração e que guia nossos comportamentos por toda a vida.

Uma empresa inteligente usa estratégias e tem valores que despertam este desejo de agir em todos os seus vendedores, fazendo com que eles sempre estejam motivados por uma razão maior do que dinheiro, status, fama ou qualquer objetivo temporário. Conseguir motivação constante para uma equipe de vendas é algo extremamente simples, mas o sucesso desta estratégia não está relacionado com princípios comumente usados na área comercial.

VALORIZANDO OS EXEMPLOS ERRADOS

A onda negativa de informações que recebemos não se limita apenas às práticas de gestão de vendas, mas também aos valores motivacionais do ser humano. A mídia insiste em nos dar exemplos e contar histórias de pessoas que são ricas e bem-sucedidas, de pessoas que ganharam na megasena, de atletas comprando carros e mansões, de empresas dando incentivos financeiros altos para seus funcionários, como se a nossa felicidade estivesse diretamente ligada à quantidade de dinheiro que temos. No mercado literário não é diferente, toda semana um novo livro é lançado com o intuito de ensinar as pessoas a serem milionárias ou a adquirirem os hábitos dos milionários. Além disso, a mídia nos incentiva cada vez mais a valorizar bens materiais; não é incomum ver as pessoas querendo comprar roupas iguais às dos personagens das novelas, adquirindo produtos usados por estes personagens etc. Por mais incrível que pareça, estes valores nos deixam cada vez mais distantes da felicidade. Na psicologia, o termo usado para definir os efeitos da valorização excessiva de bens materiais e financeiros é Esteira Hedônica: quanto mais bens materiais ou dinheiro as pessoas têm, mais rápido elas se adaptam a estas coisas e isto faz com que elas nunca estejam plenamente satisfeitas com o que têm, buscando sempre mais[1]. Hedonismo é o termo usado para classificar o comportamento das pessoas que se importam apenas em obter prazer imediato e presente, mesmo que isto tenha consequências graves no futuro, como, por exemplo, o uso de drogas. Ao vender que a felicidade se conquista por meio de riquezas, a mídia faz um desfavor à felicidade das pessoas. Somos bombardeados com notícias de pessoas que ganham muito dinheiro, mas não ouvimos notícias de pessoas que doam dinheiro, mesmo não sendo ricas.

Em março de 2015, um corretor de imóveis de São José dos Pinhais/PR que havia entrado na Justiça para receber comissões e outros valores de uma imobiliária, ganhou a ação e fez algo raro: ele pediu para a imobiliária doar os R$ 150.000,00 devidos a ele para uma instituição de caridade. Sim, esta pessoa abriu mão de ganhar todo este dinheiro para ajudar outras pessoas[2]. Infelizmente, este tipo de notícia não é veiculada nas manchetes dos jornais ou nos portais mais famosos. Por este motivo, as pessoas tendem a valorizar objetivos solitários, não objetivos solidários.

Muitas empresas buscam motivar seus vendedores mostrando o quanto de dinheiro eles podem ganhar com as vendas, mas não atentam para o fato de que isto faz com que estes profissionais passem a acreditar que dinheiro realmente é a única coisa que importa e a única forma de ser feliz, o que acaba fazendo, consequentemente, com que eles sejam cada vez mais infelizes em suas vidas.

Como vimos anteriormente, a Ciência descobriu que, para o ser humano, doar gera mais felicidade do que receber. Isto está diretamente ligado com um fator motivacional chamado de propósito: uma característica natural de todos nós de querer ajudar, de querer transformar o mundo em um lugar melhor.

Para alcançar o propósito em vendas, deve-se agir em duas frentes:
1. Mostrar aos vendedores qual o verdadeiro papel de um vendedor.
2. Encontrar um propósito para a existência da empresa.

MOSTRE AOS VENDEDORES O REAL IMPACTO DE SEUS TRABALHOS

Em 2006, o prof. Adam Grant fez uma descoberta muito interessante. Ele estudou um grupo de profissionais que trabalhavam num call center onde o papel de cada profissional era ligar para ex-alunos universitários para conseguir doações em dinheiro que seriam revertidas para pagar bolsas de estudo de alunos sem condições financeiras. Grant, que estuda a melhoria da performance de profissionais quando estes passam a ter noção do impacto que seus trabalhos causam na vida de outras pessoas, teve a ideia de dividir os funcionários em dois grupos. Inicialmente, um dos grupos deveria passar cinco minutos lendo cartas de ex-alunos que concluíram seus estudos graças a bolsas de estudo e, posteriormente, estes funcionários deveriam conhecer pessoalmente alguns destes ex-alunos. O resultado foi extremamente impactante: em pouco tempo, o número de doadores aumentou 144% por semana e o faturamento da empresa quase quintuplicou! Os funcionários saíram de uma arrecadação média de US$ 412,00 por dia para mais de US$ 2.000,00. Um funcionário, em especial, que fazia em média cinco ligações por dia e arrecadava US$ 100,00, passou a fazer 90 ligações diárias e a arrecadar US$ 2.615,00.[3]

Dificilmente funcionários de empresas como call centers têm contato físico com os usuários de seus serviços ou produtos, com as pessoas que se beneficiam por causa de seus trabalhos. É por isso que empresas como a GE levam pacientes que sobreviveram ao câncer para conversar com os funcionários que fabricam os scanners (MRIs) que possibilitam a realização de diversos exames[4] e o banco americano Wells Fargo filma os clientes que dão depoimentos sobre como os empréstimos com baixos juros do banco os salvaram de dívidas[5]. Por este motivo, sempre que sua empresa puder, leve um cliente satisfeito para conversar com os vendedores, marque uma visita coletiva na empresa de um cliente ou simplesmente grave um vídeo com um depoimento de alguém que foi ajudado pelo trabalho da sua equipe.

Estabelecer este tipo de contato ou, às vezes, simplesmente divulgar a foto do cliente, pode trazer ótimos resultados, como outro estudo científico nos mostra.

CUIDANDO DE PESSOAS, NÃO DE RAIOS X OU DE CONTAS

O simples fato de lembrar qualquer profissional que ele está atendendo outra pessoa já traz resultados positivos. Quando alguns radiologistas acessaram exames que continham as fotos de cada paciente, eles escreveram relatórios 29% mais longos e aumentaram a precisão de seus diagnósticos em 46%. Um fato curioso neste estudo, porém, é que os pesquisadores inseriram 81 casos do que eles chamam de "encontros acidentais", que são as situações em que, além do problema principal, o paciente apresentava algum outro problema visível no raio x, mas que geralmente passava despercebido pelos médicos. Um exemplo disto pode ser o caso de um paciente que estava sendo radiografado em razão de uma costela fraturada, mas que também apresentava um tumor no pulmão, sem que houvesse uma suspeita deste grave problema. Quando a requisição do exame aparecia com uma foto do paciente em anexo, o índice de "encontros acidentais" foi bastante alto. No entanto, 90 dias depois, quando propositalmente os pesquisadores pediram aos médicos para analisarem o mesmo raio x, desta vez sem a foto do paciente, os resultados foram assustadores: sem a foto do paciente, 80% dos "encontros acidentais" não foram detectados pelos médicos[6].

Este estudo nos mostra que, em casos onde o vendedor tem pouco contato físico com o cliente ou quando entende que o cliente é apenas uma conta, ele acaba realizando um trabalho que não desperta nele o sentimento de estar lidando com uma pessoa e de estar ajudando alguém e isto faz com que o vendedor veja menos oportunidades de inovação, não enxergue as "soluções acidentais" e passe a tratar os clientes com menos atenção e dedicação do que eles merecem.

SEM PROPÓSITO, SEM ENGAJAMENTO E SEM FELICIDADE

Ter um propósito verdadeiro no trabalho é uma das maiores forças motivacionais existentes. Enxergar que o seu trabalho transforma a vida das pessoas, que pode ajudar estudantes carentes, que pode prevenir uma doença, que economiza tempo para os clientes, que resolve um problema ou facilita a decisão de uma pessoa faz toda a diferença na sua motivação diária. Agora, se o propósito de uma empresa é apenas ganhar dinheiro e se ela ainda incentiva o funcionário a pensar que o seu objetivo também deve ser este, dificilmente terá colaboradores suficientemente motivados, ou seja, aqueles que dão o máximo de si, todos os dias.

Quando as pessoas não sabem exatamente a importância do papel delas na organização e na sociedade, elas darão apenas uma fração de sua dedicação ao trabalho e isto explica porque recentes pesquisas do Gallup mostraram que 51% da força de trabalho é desengajada[7] e que apenas 12% dos trabalhadores acham que suas vidas são melhores por causa da empresa onde trabalham[8].

A profª. Amy Wrzesniewski, da Yale University, revelou, ao longo de anos de pesquisa, que as pessoas encaram seus trabalhos de três formas: como um emprego, como uma carreira ou como um chamado. Aquelas que encaram seu trabalho como um emprego trabalham apenas para ganhar seus salários e estão sempre torcendo para o final de semana chegar, para que possam passar alguns dias longe de seus trabalhos. Aquelas que enxergam seus trabalhos como uma carreira, trabalham não apenas por necessidade, mas porque querem ter sucesso e buscar status. Já as que percebem seus trabalhos como um chamado têm prazer em trabalhar porque entendem que sua função contribui para um bem maior, para um propósito que fortalece a elas mesmas e à sociedade[9].

Uma das maiores dificuldades em encontrar propósito na profissão de vendas é fazer os vendedores entenderem o real significado de sua função. A palavra "vendedor" não reflete exatamente o significado desta profissão, mas sim um cargo dentro de uma empresa. Na sua visão, qual é o significado de ser um vendedor? O que um vendedor realmente faz? Se você fosse dar outro nome a este cargo, qual ele seria? Para muitas pessoas, um vendedor é um realizador de sonhos, um solucionador de problemas, um parceiro de confiança, um profissional que ajuda as empresas a ganharem ou a economizarem tempo e dinheiro, um facilitador de decisões, um importante consultor de negócios, assim por diante. Este exercício, de reescrever a sua função dentro da empresa, é o que as professoras Amy Wrzesniewski e Jane Dutton chamam de Job Crafting[10]. Uma das grandes descobertas deste estudo, felizmente, é que a criação de propósito dentro do trabalho depende do indivíduo, não do trabalho. Dois vendedores, por exemplo, podem ver o propósito de seus trabalhos de forma completamente diferente: um entende que seu trabalho serve apenas para sustentar sua família, enquanto o outro entende que a sua função é ajudar alguém a tomar uma melhor decisão. Isto significa que qualquer pessoa pode encontrar propósito dentro da empresa, passando a enxergar o seu trabalho como um chamado, o que fará com que este profissional obtenha melhores resultados. Conforme vimos, achar um propósito na profissão de vendas é simples. Portanto, pratique isto com sua equipe. Estou certo de que os vendedores irão se divertir com a atividade e que surgirão definições extremamente significativas do cargo vendedor.

Um trabalho sem propósito não gera prazer, nem engajamento, nem felicidade: condições básicas que as empresas devem incentivar nos ambientes de trabalho.

FAÇA A MISSÃO DA EMPRESA TER UM PROPÓSITO

Da mesma forma que um trabalhador deve saber qual é o real propósito de seu trabalho, uma empresa também deve saber qual é o seu verdadeiro propósito na sociedade. Quando a missão de uma empresa – que está diretamente ligada ao propósito – tem palavras vazias como lucro, melhor, maior, líder, mais reconhecida, acionista ou retorno, os funcionários nunca estarão convenientemente inspirados e motivados para trabalhar por estas causas. Por outro lado, quando a missão de uma empresa não menciona dinheiro de nenhuma forma e está direcionada a ajudar o mundo a ser um lugar melhor, os funcionários irão lutar com todas as suas forças pela causa da empresa, pois passam a entender mais facilmente qual é o seu verdadeiro papel e qual é o impacto que o seu trabalho causa na sociedade.

Com este pensamento de melhorar o mundo é que surgiu uma das empresas mais admiradas da atualidade, a TOMS Shoes. Durante uma viagem ao interior da Argentina, o fundador da TOMS, Blake Mycoski, ficou chocado com a quantidade de crianças que não tinham sapatos decentes e ainda mais chocado com as que não tinham nenhum sapato. Aliás, nesta viagem, ele descobriu que muitas crianças nunca tiveram um par de sapatos na vida. Este impacto fez com que ele tomasse a decisão de abrir uma empresa de sapatos com o intuito de resolver este problema. Desde a sua fundação, a cada par de sapatos que a TOMS vende, ela doa um par de sapatos para uma criança carente. Este é o exemplo de uma empresa com um grande propósito. Desde 2006 até hoje, a TOMS já doou mais de 45 milhões de pares de sapatos em diversos países do mundo[11]. E o propósito da TOMS de transformar o mundo num lugar melhor não para por aí: muitas fábricas da TOMS estão localizadas nos países onde a empresa doa sapatos, dando oportunidade de emprego para pessoas e famílias que dificilmente conseguiriam algo similar. Vendo que este modelo de negócios tinha mais impacto do que se imaginava, a TOMS começou a vender também óculos escuros. Cada par de óculos que eles vendem gera recursos para solucionar problemas de visão que as pessoas têm, tais como a necessidade de uso de óculos corretivos ou a realização de cirurgias de catarata, entre outros. Hoje a TOMS também comercializa café, fazendo com que cada pacote de café vendido se transforme em uma semana de fornecimento de água potável para pessoas sem acesso à necessidade mais básica de qualquer ser vivo. A TOMS também vende bolsas, garantindo que cada unidade vendida possa proporcionar o treinamento de uma atendente de parto para que crianças de famílias carentes nasçam com segurança. E, além disso, a TOMS vende mochilas que geram fundos para reduzir o bullying nas escolas. A missão da TOMS? Ao entrar no site da empresa, você lê a seguinte frase: "Nós estamos no mercado para ajudar a melhorar vidas". A empresa ganha dinheiro do mesmo jeito, mas não é só para este fim que ela existe. É claro que não existe problema algum em uma empresa buscar resultado financeiro, desde que o resultado seja obtido de forma honesta, que ela não engane os clientes e, principalmente, que ela devolva este dinheiro de alguma forma para a sociedade.

Imagine o impacto motivacional que a sua equipe de vendas pode obter caso a empresa decida ligar o produto ou o serviço que ela vende a uma causa social. E caso ela possua uma missão que deixe claro que tem um propósito maior do que o dinheiro. Anteriormente, tomamos conhecimento de alguns estudos que mostraram que o ser humano é mais motivado por doar do que por receber, portanto, qualquer ação que a sua empresa realizar com os vendedores para possibilitar que eles sintam que todas as vendas que realizam ajudam uma causa, terá resultados motivacionais e financeiros extremamente positivos. Porém, o fato mais importante na implementação de uma ação como esta é que a causa que a empresa abraçar seja verdadeira, autêntica, que parta do coração de todas as pessoas envolvidas. Abraçar uma causa social apenas para promover a empresa é uma estratégia antiética e de vida curta.

TER PROPÓSITO NÃO É APENAS DOAR

Atualmente, um grande número de empresas começou a ver a importância de se ter um propósito, não apenas para transformar o mundo num lugar melhor, mas também para motivar e engajar os funcionários e conquistar clientes fiéis, que acreditam e lutam pelas mesmas causas. Aliás, ter um propósito é muito mais do que simplesmente fazer doações. É fornecer produtos e serviços honestos, que resolvam problemas dos clientes, que proporcionem saúde a eles, que não poluam, que ajudem a comunidade a crescer e assim por diante. Com este objetivo, surgiram empresas como a Rosa's Fresh Pizza, na Philadelphia, que vende pizzas por fatia e incentiva os seus clientes a comprarem uma fatia extra para que a Rosas possa doá-la para um morador de rua. Empresas brasileiras que se encaixam nestes moldes são: a curitibana Sem Co_2, que faz entregas em toda a cidade usando bicicletas ao invés de veículos que causam poluição; a mineira Precon Engenharia, que faz construções gerando 81% a menos de resíduos e reduzindo grandemente a quantidade de água utilizada nas obras, em comparação com as construções tradicionais; e a carioca Do Bem, que produz sucos com 100% de fruta e sem adição de açúcar, sem enganar os seus clientes, ao contrário do que ocorre com a maioria de seus concorrentes, que produzem bebidas repletas de açúcar adicionado, conservantes e outras substâncias danosas para a saúde e as vendem como se fossem saudáveis.

Como você pode notar, e não custa repetir, ter um propósito não se limita apenas a doar algo cada vez que a empresa vende seus produtos ou serviços: o simples fato de produzir bens de forma sustentável e produtos que melhorem a vida das pessoas e que economizem tempo e não enganem o cliente já faz uma empresa ter um excelente propósito.

Felizmente, são poucas as empresas que podem ter dificuldades em encontrar um propósito inerente ao produto ou serviço que vendem. Da mesma forma que um vendedor pode reescrever o significado da palavra que define a sua profissão, ele pode, também, reescrever o nome do produto ou do serviço que ele vende, ou seja, realizar um Product/Service Crafting. Um caminhão, por exemplo, pode virar alimentação ou um carro novo para uma família ou um novo maquinário para uma indústria ou mais demanda para uma transportadora ou, ainda, um emprego para um motorista e assim por diante. Faça este exercício com os vendedores da empresa e veja quantos "propósitos" a equipe poderá encontrar. Este exercício simples irá ajudá-los a descobrir outras funções dos produtos que eles vendem, deixando mais claro o propósito da empresa.

Como sempre, a grande missão das empresas é transmitir esta mensagem de forma eficiente para seus vendedores, para que todos entendam a importância de seus trabalhos na construção de um mundo melhor.

UM POUCO DE REFLEXÃO SOBRE O PAPEL DO PROPÓSITO EM NOSSO PAÍS

No Brasil, temos a mania de pôr a culpa de todos os males no governo, seja ele federal, estadual ou municipal. Não temos hospitais públicos decentes? O governo é uma porcaria! As estradas devem ser privatizadas? Este governo é mesmo uma droga! O sistema penitenciário não recupera os criminosos? Os governos são mesmo uma piada!

Mas o que você e a sua empresa estão fazendo para mudar esta realidade?

Que fique bem claro que eu não estou defendendo ou apoiando os governos que temos. Aliás, conhecendo as políticas de muitos outros países para com seus cidadãos, estou pra lá de insatisfeito. A questão que merece a minha e a sua reflexão é a que deve nos levar a pensar em como fazer o nosso país se tornar melhor. E isto não é papel apenas do governo; as pessoas e a iniciativa privada também são grandemente responsáveis pela construção de uma nação forte. Já pensou em como estaria a situação do nosso país se todas as empresas tivessem algum propósito como a TOMS? Quantos problemas seriam diminuídos ou solucionados com iniciativas como esta?

Infelizmente, para a maioria das nossas empresas, exercer a responsabilidade social é apenas uma jogada de marketing. A maioria das ações de responsabilidade social propaladas pelas empresas brasileiras não são autênticas, elas são preconizadas apenas para "inglês ver", um engodo, uma tapeação, para conseguir algum benefício fiscal ou para obter destaque na mídia. Poucas iniciativas fazem, realmente, parte da cultura das empresas. Em grande parte das empresas, se os funcionários tiverem de responder sobre quais são as efetivas ações de responsabilidade social ou ambiental que a empresa pratica, muitos não saberão sequer que elas existem.

Devemos parar de medir a performance das empresas baseados apenas nos recordes de faturamento e passar a mensurar o valor delas a partir do recorde de transformação social. Quanto do lucro ou do faturamento de cada empresa foi destinado a melhorar a situação do país? Em outros países, vemos empresas privadas construindo pontes, praças, ajudando na manutenção de jardins, reformando estradas, limpando praias, pintando escolas ou construindo hospitais. Qual foi a última vez que você soube de ações parecidas no Brasil? Quão diferente nosso país poderia estar se as empresas se preocupassem também com isto?

Na minha cidade natal, Curitiba, vejo um exemplo claro desta falta de colaboração. Qualquer família com filhos pequenos sabe que em caso de acidentes ou de emergências com crianças - e quem tem filhos pequenos sabe bem qual é a frequência destes "acidentes" - o lugar certo para ir é o Hospital Pequeno Príncipe. Este hospital desenvolve um trabalho maravilhoso não só em casos de emergência; ele é uma referência nacional no tratamento do câncer em crianças. Acontece que o Pequeno Príncipe atende pelo SUS e nunca iria sobreviver se não fosse pelas doações que recebe. Apesar de todos os pais da cidade conhecerem o hospital e, provavelmente, já terem sido beneficiados pelo competente atendimento que é por ele prestado, apenas uma ínfima minoria o ajuda.

Caso a sua empresa queira ajudar e não saiba que tipo de ação realizar, ou não perceba quais são os problemas mais graves na sua comunidade, ou quais são as reais necessidades de famílias pobres, existem instituições que poderão mostrar as melhores maneiras de contribuir, direcionando a doação de sua empresa para causas importantes. Basta procurar ajuda na sua cidade e não tenha dúvidas de que irá encontrar instituições que fazem um trabalho extremamente sério.

Cada pessoa e cada empresa devem ter uma noção maior de sua responsabilidade de como participar do desenvolvimento de nosso país, para deixá-lo melhor para nossos filhos e netos. Todos sabemos que, se esperarmos o governo fazer tudo sozinho, é provável que esta mudança nunca aconteça. Aja agora! Veja quais são as necessidades da sua comunidade, da sua cidade, do seu estado. Pessoas e empresas unidas podem transformar a realidade do Brasil. Ajudar é mais fácil do que parece e, além do mais, aumenta exponencialmente a felicidade das pessoas de acordo com os vários estudos científicos que lhes foram apresentados[12].

Enquanto continuarmos valorizando apenas quem ganha dinheiro, ao invés de valorizar quem o doa, continuaremos construindo um país com valores frágeis e efêmeros, onde as pessoas serão cada vez menos felizes e cada vez mais solitárias. Educar os vendedores da sua empresa sobre a importância de ter um propósito já é um bom começo.

A GERAÇÃO QUE NÃO QUER NADA COM NADA QUER ALGUMA COISA, SIM

Um estudo feito em 2012 pela Clark University revelou que 86% dos jovens querem empregos que lhes possibilitem "transformar o mundo num lugar melhor"[13]. É engraçado como a maioria dos empresários reclama que os jovens de hoje em dia não querem "nada com nada", são preguiçosos, ficam nos seus celulares o tempo todo, querem crescer rapidamente na carreira e trocam de emprego com frequência, mas nenhum destes empresários percebe que a culpa por tudo isto é deles mesmos.

Quando uma empresa não sabe motivar os seus funcionários, o tipo de comportamento mencionado acima é normal, mas quando a missão de uma empresa toca o coração destes jovens e eles sentem que seus trabalhos fazem a diferença no mundo, as coisas mudam. Trabalhar numa empresa como a TOMS, Sem CO2, Precon, Do Bem ou o Hospital Pequeno Príncipe certamente desperta um sentimento solidário e nobre nos funcionários, um sentimento que gera um círculo virtuoso. É por este motivo que a TOMS, por exemplo, envia os seus funcionários para viagens de doação para que eles sintam verdadeiramente o que significa o trabalho deles na vida de outras pessoas. A TOMS também sorteia clientes para irem a viagens de doação, para que eles possam sentir como é válida a escolha por um produto que ajuda aos outros. Existem muitos vídeos sobre estas viagens da TOMS na rede, vale a pena assistir. Recomendo fortemente o vídeo sobre a primeira viagem que a equipe da TOMS fez para a Argentina, chamado For Tomorrow: The TOMS Shoes Story.

Como existe um número cada vez maior de jovens entrando na área de vendas – uma área que é historicamente a responsável pelas primeiras oportunidades de emprego para milhões de jovens - é cada vez mais importante que as empresas consigam despertar este sentimento de propósito logo cedo nos jovens. Isto pode ser alcançado através das atividades de Job Crafting e Product/Service Crafting, fazendo com que um cliente satisfeito visite a empresa e converse com estes jovens, bem como por meio de outras técnicas apresentadas nos capítulos anteriores. A dedicação das empresas em mostrar o propósito da profissão de vendas e dos produtos ou serviços que vende para quem está iniciando uma carreira na área é fundamental para a diminuição do turnover, para o aumento do engajamento, para a melhoria da performance no trabalho, para a satisfação com o emprego e o aumento na qualidade de vida e, também, para trazer maior clareza nos objetivos de carreira e de vida dos jovens. As empresas, além de todos os seus papéis, são também responsáveis por formar cidadãos de bem.

Ao ajudar os outros, estabelecendo um propósito, as empresas acabam ajudando a elas mesmas. Um estudo feito em 2013 pela University of Southampton revelou que trabalhos com o propósito de ajudar uma causa fazem com que as pessoas sejam 13% mais produtivas[14]: um ganho significativo numa época na qual as empresas lutam diariamente justamente para aumentar estes percentuais.

CONCLUSÃO

Sempre que um gestor consegue mostrar ao vendedor o real impacto de seu trabalho, quando ele faz com que este profissional entenda o significado de sua profissão e passe a encarar o seu trabalho como um chamado, a motivação e a performance do vendedor atingem níveis dificilmente alcançáveis por aqueles que se importam apenas com as suas comissões.

Quando a empresa tem como missão fazer do mundo um lugar melhor, ajuda o vendedor a descobrir que cada negócio que ele fecha contribui com uma causa e o ensina a valorizar os exemplos certos, mais perto esta companhia estará de manter seus talentos, de contribuir com o aumento da felicidade de seus funcionários, de fidelizar seus clientes e de deixar a sua marca neste mundo.

Sem um propósito certo, o "desejo de agir" de um vendedor pode levá-lo a um caminho de baixo desempenho e pouca felicidade.

Capítulo 9

DANDO LIBERDADE

Vivemos em uma época em que a tecnologia nos ajuda com diversos recursos, mas que também pode nos atrapalhar muito. Com os avanços tecnológicos e as facilidades daí advindas, as empresas sentem-se cada vez mais tentadas a aumentar o controle e a fiscalização sobre os seus vendedores. Hoje, recursos como o cartão de ponto eletrônico, gravações de ligações, firewalls, rastreadores de automóveis e outros são uma realidade em quase todas as empresas. O problema é que raramente as empresas e seus gestores conseguem perceber o lado ruim de tudo isto, principalmente do sentimento que toma conta do vendedor que está sendo monitorado.

Este capítulo irá ilustrar os motivos pelos quais as empresas que dão liberdade para seus vendedores alcançam resultados melhores do que os daquelas que preferem abusar do controle.

LOUCOS POR CONTROLE

Recentemente, fui a uma reunião em uma empresa que queria um treinamento sobre técnicas de vendas. Ao perguntar ao gerente comercial como era o clima de trabalho na área de vendas da empresa, a primeira coisa que ouvi dele foi a seguinte frase: "Na nossa empresa, o vendedor tem que ter noção de que está sendo monitorado 24 horas por dia!" Eu imagino como deve ser doído estar na pele destes pobres profissionais. E o mais incrível neste caso é que todos os vendedores haviam sido recém-contratados para um novo projeto da empresa, ou seja, o gerente nem sequer conhecia os vendedores adequadamente para saber se realmente devia monitorá-los com tamanho exagero.

Quando eu estava cursando o meu MBA, em certa ocasião, o vice-presidente de uma companhia de bebidas foi convidado a dar uma palestra para os alunos. No final do evento, ele estava dando diversas dicas sobre como gerenciar pessoas e nos pediu para anotar uma frase: "Liberdade é bom, controle é melhor". Mesmo numa aula de MBA, em uma universidade americana prestigiada, é necessário filtrar certos ensinamentos, principalmente aqueles advindos de profissionais inseridos em mercados com péssimas práticas de gestão de pessoas.

Lamento notar que muitas empresas simplesmente adoram contratar este tipo de profissional para gerenciar suas equipes, o que certamente contribui cada vez mais para a falta de engajamento e de felicidade dos funcionários. Por causa do aumento no número de contratações de gestores com este perfil é que muitas pessoas não veem a hora de o final de semana ou de suas férias chegarem.

COLHENDO O QUE PLANTAM

Quando uma empresa tenta controlar tudo o que o vendedor faz, ela está dando um recado direto para ele: eu não confio em você! Este é um dos motivos pelos quais as pesquisas de engajamento apresentam estatísticas assustadoras e porque as pessoas não dão o melhor de si em seus trabalhos[1]: ninguém dá o máximo para um líder ou para uma empresa que não confia na sua honestidade ou no seu comprometimento. Sem confiança, casamentos entram em colapso, sócios desfazem seus negócios, clientes desistem de comprar e funcionários são menos produtivos.

No dia a dia do gestor de vendas, especialmente se ele cuida de uma equipe grande, é fácil se enganar e passar a acreditar que controlar as pessoas faz parte do trabalho. É sempre tentador pedir relatórios de visitas, instalar rastreadores nos automóveis, ligar para os clientes para confirmar se, de fato, receberam a visita do vendedor ou monitorar as entradas de informações que os vendedores fazem no CRM da empresa, bem como controlar o horário de almoço de cada vendedor e passar um tempo analisando a rota que o funcionário percorreu em certo dia, dar uma olhada na conta de celular de cada um, monitorar o tempo ou, ainda, conferir a quantidade de ligações que eles fizeram para clientes e verificar quanto tempo o vendedor ficou em cada visita e o horário em que ele chegou em casa, mas este não é o papel de um gestor. A principal competência de um gestor de vendas, ou de qualquer outra área, é, primeiramente, entender de pessoas. Mas, conforme vimos em diversos momentos do livro, se confiarmos apenas na nossa intuição para tomar decisões relacionadas ao comportamento das pessoas, estas decisões provavelmente serão ineficazes. O conhecimento científico sobre comportamento humano é que fará com que o gestor crie um ambiente de trabalho motivador e positivo. O vendedor precisa estar inserido num ambiente onde o gestor confie cegamente em sua dedicação, honestidade e comprometimento. Depois de criar este ambiente, o gestor de vendas deve dedicar seu tempo para desenvolver as habilidades comerciais de sua equipe, dar feedback constante, visitar clientes, garantir que a equipe tenha pouco contato com informações negativas, limpar o caminho para que a equipe possa trabalhar em paz, planejar o desenvolvimento das vendas, prospectar clientes, buscar inovações no mercado, entre outras atividades. Microgerenciar a equipe não é e nunca será uma prioridade.

Empresas que têm a cultura de acreditar que os vendedores não são confiáveis, ou são desonestos e que devem ser controlados a todo o momento, incentivam exatamente estes tipos de comportamento. Da mesma forma, empresas que cultivam a confiança conseguem resultados fantásticos.

No final, parece que cada empresa colhe exatamente o que planta. Se percebemos que, atualmente, a maioria das empresas tem alguma política de controle sobre seus funcionários e vemos, cada vez menos, comprometimento, engajamento, produtividade e mais turnover e absenteísmo, está na hora de estabelecer uma estratégia contrária à que vem sendo adotada para alcançar a grande e única solução.

O RESULTADO DA LIBERDADE

Com seu incrível livro Motivação 3.0, o autor americano Daniel Pink presenteou o mundo ao introduzir a empresa Culture RX aos negócios[2]. Esta empresa, fundada pelas ex-gerentes de RH do Best Buy, a maior loja de eletrônicos dos EUA, implementa nas empresas um sistema de gestão chamado de ROWE (Results Only Work Environment ou Ambiente de Trabalho Unicamente de Resultados). Num ROWE, as pessoas são totalmente livres: elas não têm horário para chegar nem para ir embora do escritório, aliás, se elas nunca quiserem ir ao escritório, tudo bem. Neste sistema, a presença em todas as reuniões é facultativa, as pessoas podem trabalhar de suas casas, podem ir ao mercado numa terça de manhã e não são questionadas pelos seus líderes sobre onde ou com quem estão. Num ambiente de trabalho focado em resultados, a única coisa que importa é exatamente o resultado.

Empresas que seguem este sistema entendem que seus funcionários são adultos, responsáveis e confiáveis. Além disso, estas empresas tomaram consciência de que atualmente os trabalhos exigem grande criatividade, e como não existe relação alguma entre tempo no escritório e criatividade ou produtividade (como existia na época do sistema fabril), este sistema de trabalho é ideal. Criatividade não acontece apenas das 8 às 18 horas ou dentro de um escritório. Para o ser humano não existe horário para ser criativo. Estou certo de que você frequentemente pensa no trabalho quando chega em casa, no final da tarde, e que já encontrou soluções para resolver algum problema enquanto estava no banho ou quando estava deitado na sua cama, algo que irei abordar de forma científica em seguida.

Cali Ressler e Jody Thompson, fundadoras da Culture RX, mostram os ótimos resultados do ROWE no livro Why Work Sucks and How To Fix It[3]. Os depoimentos das pessoas que trabalham em empresas com este sistema de gestão são emocionantes e nos deixam extremamente pensativos sobre o futuro do trabalho. A leitura deste livro é altamente recomendada para os que querem se aprofundar no assunto. Apenas para citar um único resultado do ROWE, na Best Buy, onde tudo começou, depois da implementação do sistema houve uma diminuição no turnover voluntário de mais de 90%. Para uma equipe da empresa isto significou uma economia de US$ 2,2 milhões. Contrariamente ao que muitos líderes pensam, dar liberdade para as pessoas faz com que a produtividade delas aumente. Não foi diferente na Best Buy; depois da implementação do ROWE a produtividade aumentou incríveis 41%[4]. Se você quiser obter resultados similares na sua empresa, basta fazer uma coisa: pare de controlar as pessoas. Atualmente, empresas como a GAP, Banana Republic, Garabedian Group e muitas outras aderiam ao ROWE e estão colhendo resultados muito acima da média. Para conhecer os resultados de cada empresa, basta acessar www.gorowe.com.

A área de vendas, principalmente para quem trabalha com equipes externas, já é uma área com grande liberdade de ação, mas sempre existem mais oportunidades para melhorar. Um sistema de gerenciamento, onde cada vendedor é o seu próprio gerente, parece ser uma boa solução para atingir resultados excelentes e, principalmente, para dar ao gestor de vendas o tempo necessário para que ele realize o seu verdadeiro trabalho.

QUEM CONTROLA NÃO PRECISA DE CONTROLE?

Sempre que apresento estratégias como esta em minhas aulas, palestras e treinamentos, surge uma pessoa dizendo que, na empresa onde ela trabalha, isto não iria funcionar porque se os funcionários ficarem livres para agir vão se sentir na zona de conforto. Muitos, ainda, dizem que as pessoas precisam de alguém que as controle, caso contrário o trabalho nunca será feito. Você pode estar pensando o mesmo. Sempre que isto ocorre eu pergunto à pessoa se ela também precisa de alguém que controle o seu trabalho. A resposta é sempre parecida e, em resumo, revela um fato surpreendente: todo gestor acredita que deve controlar as pessoas, mas que ele não precisa ser controlado, pois ele é naturalmente comprometido. Poucos líderes que intensificam o controle sobre os seus vendedores se dão conta de que, quanto mais eles controlam a equipe, menos eles trabalham no que realmente importa. Quando ele coloca suas funções prioritárias de lado para espionar sua equipe e tratar os vendedores como crianças, menos resultado ele tem.

Este tipo de atitude dos líderes, de que eles não precisam ser controlados, mas que os demais precisam, é perigosa. Como já vimos, no Efeito Ikea o ser humano sempre tende a acreditar que é melhor do que os outros. Toda vez que pensamos que funcionamos de forma diferente da maioria das pessoas, estamos cometendo um grande erro de gestão.

Tudo o que você assume sobre si mesmo é verdadeiro para as outras pessoas.

Na segunda parte do livro, conhecemos o estudo de Harry Harlow e devemos nos lembrar sempre do que ele nos revelou: o ser humano é dedicado naturalmente. Como vimos, dentro do correto sistema de gerenciamento, as pessoas dão o melhor de si e, assim, atingem resultados fantásticos. Um sistema que controla as pessoas e as deixa perceber que a empresa não confia nelas nunca irá despertar sua dedicação natural.

CRESCIMENTO GIGANTE, TURNOVER DESPREOCUPANTE

Os pesquisadores da University of Rochester Richard Ryan e Edward Deci, com seu colega Paul Baard, da Fordham University, descobriram através de seus estudos que as empresas que conferem autonomia para os seus funcionários crescem quatro vezes mais do que as empresas controladoras e têm um terço de seu turnover[5].

Este é o resultado que empresas que abrem mão do tradicional microgerenciamento conseguem. Quando os funcionários sentem que a empresa e os gestores confiam neles, eles se tornam mais comprometidos com a empresa, mais produtivos, faltam menos ao trabalho, inventam mais formas criativas de resolver problemas, atendem melhor os clientes, colaboram mais com seus colegas e são menos estressados. Além disso, como o estudo indica, os funcionários de empresas que concedem mais autonomia não trocam de emprego facilmente. Ninguém que tem liberdade e confiança no ambiente de trabalho quer arriscar sua carreira ou apenas ficar na zona de conforto quando sabe que, caso seja demitido desta empresa, no primeiro dia de seu novo trabalho, todos os aspectos de sua vida passarão a ser policiados.

As empresas devem assumir mais suas responsabilidades e parar de culpar as pessoas quando as coisas vão mal. Em diversos encontros de Recursos Humanos em que proferi palestras, percebi que as reclamações dos gestores são sempre iguais, mas o que apenas poucos gestores se deram conta é de que as reclamações são as mesmas porque as estratégias que suas empresas adotam também são as mesmas. Nenhuma destas empresas desafia o status quo e passa a confiar verdadeiramente em seus funcionários.

Quando uma empresa controla diuturnamente os seus funcionários ela consegue uma coisa: obediência. Já quando esta mesma organização dá liberdade a eles, consegue engajamento. Qual dos dois resultados você quer para sua equipe de vendas?

LIBERDADE PARA FAZER INTERVALOS

A empresa americana DeskTime, que comercializa um software que controla com detalhes como cada funcionário de uma empresa usa seu tempo, descobriu algo de extrema importância: ao analisar os dados de todos os usuários de seu software, esta empresa revelou que o comportamento habitual dos funcionários que estavam entre os 10% mais produtivos era o de que todos eles folgavam em média 17 minutos para cada 52 minutos de trabalho[6].

Os dados da DeskTime revelaram que ao agirem assim frequentemente os profissionais estudados conseguiam reunir uma enorme carga de energia para trabalhar de forma altamente produtiva e com grande empenho durante cada período de 52 minutos. Segundo Julia Gifford, autora do estudo, o nosso cérebro é como um músculo. Durante uma sessão de musculação, por exemplo, nenhum praticante consegue levantar pesos sem fazer intervalos durante o exercício. A concentração funciona da mesma forma: sem intervalos frequentes, ninguém consegue manter-se concentrado durante todo o tempo. O nosso cérebro precisa de um tempo de descanso para conseguir dar o máximo nos momentos de concentração[7]. O estudo de K. Anders Ericsson mencionado anteriormente mostrou também que os melhores violinistas de uma orquestra adotavam a mesma prática de fazer intervalos frequentes para trabalhar com dedicação máxima durante seus treinos[8].

Conforme vimos, pelo fato de o trabalho em vendas exigir muita habilidade criativa e pouca habilidade motora, o hábito de fazer intervalos mais frequentes não significa que os vendedores irão trabalhar menos. Bem ao contrário, este hábito fará com que eles produzam mais em menos tempo. É triste ver líderes de vendas que forçam as pessoas a trabalharem pelo maior período de tempo possível e que acham que os intervalos são um desperdício de tempo. Com o passar do tempo, esta prática intoxica o ambiente de trabalho e os próprios vendedores começam a ver com maus olhos os colegas de trabalho que fazem intervalos ou que saem mais cedo. Mal sabem estes gestores que a principal consequência de não permitir que as pessoas tirem intervalos frequentes é justamente menos produtividade. Portanto, caso a sua equipe seja interna, incentive as pessoas a espairecerem durante intervalos logo após o atendimento de um cliente ou de uma ligação mais longa. Nos casos de equipes externas, incentive os vendedores a descansarem por alguns minutos após uma visita – nestes casos, descansar dirigindo o carro entre uma visita e outra não é descanso. Insista com eles para que este intervalo seja realmente um descanso. O intervalo não precisa ser necessariamente de 17 minutos; muitas vezes, dez minutos, ou menos, bastam. O que realmente importa é o modo como o vendedor aproveita estes minutos de descanso; o que ele faz durante este intervalo. Isto gera uma diferença brutal na performance do profissional, como mostrarei mais adiante.

Obviamente, como para quase todo comportamento humano, existe uma explicação científica pela qual as pessoas são mais produtivas e criativas quando fazem intervalos frequentes.

INCONSCIENTEMENTE TRABALHANDO

Albert Einstein estava numa carruagem na Suíça, após mais uma tarde frustrante de trabalho voltado para aprimorar os conceitos físicos de Isaac Newton. Cansado e com vontade de desistir de seus estudos, Einstein voltava para sua casa quando começou a observar a torre do relógio na cidade de Berna. Este, talvez, tenha sido o momento mais importante de sua vida. Segundo Einstein, ao imaginar o que aconteceria se a carruagem onde estava andasse na velocidade da luz, uma tempestade de ideias tomou conta de sua cabeça. Naquela tarde, dentro da carruagem, sem fazer nada, Einstein teve as primeiras ideias do que, mais tarde, seria a sua Teoria da Relatividade[9]. Isto significa que Einstein teve as principais ideias sobre o seu estudo mais famoso quando estava longe do seu laboratório, quando não estava em seu local de trabalho.

Este tipo de situação já aconteceu com você? Estou certo de que sim. Às vezes, estamos no banho quando, de repente, encontramos o argumento infalível para usar com aquele cliente difícil; ou estamos na cama quando encontramos a solução para uma negociação emperrada, ou num happy hour, quando surge a ideia de um novo produto para a empresa. Apesar de você não estar conscientemente trabalhando nestes momentos, uma coisa é certa: inconscientemente você está. Acontece que, toda vez que estamos distantes do nosso trabalho, não pensando nele, uma parte da nossa mente continua trabalhando sem que a gente ao menos perceba: a mente inconsciente. O prof. Adam Galinsky, da Kellogg School of Management, explica que nossos pensamentos conscientes são melhores para resolver problemas analíticos e lineares, enquanto os pensamentos inconscientes são melhores para resolver problemas complexos[10].

Como bem sabemos, os problemas que surgem na profissão de vendas são extremamente complexos - nenhuma venda tem um final previsível. A prática de tirar intervalos frequentes fará com que a mente inconsciente dos vendedores entre em ação e possa encontrar as soluções para aumentar as parcerias mais importantes, para fechar os negócios mais difíceis, para encontrar os argumentos de vendas mais convincentes e assim por diante.

INTERVALOS LONGE DA MESA EM BOA COMPANHIA

Outra informação interessante do estudo da DeskTime é a que dá conta de como estes profissionais aproveitavam seus minutos de folga: geralmente longe de seus computadores e celulares[11]. Durante os intervalos, as pessoas mais produtivas preferiam sair para dar uma volta pelo escritório ou fora dele. Isto significa que os intervalos produtivos, nos quais as pessoas criam coisas surpreendentes, não são os intervalos que os profissionais usam para ver seus feeds no Facebook ou ficar no WhatsApp ou checar seus e-mails pessoais. Dar uma volta, preferencialmente ao ar livre, é o tipo de prática que fará com que você tenha seus momentos brilhantes.

Empresas que querem manter vendedores criativos, além de incentivá-los a fazer intervalos frequentes, encorajam outra prática: a de que os intervalos sejam aproveitados na companhia de alguém. Estudos mostram consistentemente que empresas que incentivam as amizades entre os colegas alcançam resultados melhores. Um estudo recente do Gallup mostrou que pessoas que têm melhores amigos no ambiente de trabalho têm uma probabilidade sete vezes maior de estarem engajadas[12]. Já os pesquisadores Karen Jehn, da University of Pennsylvanya, e Priti Shah, da University of Minnesota, descobriram que equipes com grandes amigos têm melhor performance do que equipes nas quais as pessoas são apenas "conhecidas"[13]. Atualmente, muitas empresas e gestores agem de forma exatamente contrária às descobertas da ciência. Quando dois vendedores começam a se dar bem no ambiente de trabalho, muitos buscam separá-los, pois acreditam que isto é negativo para a empresa. Estes gestores levam a sério o ditado "menos papo, mais trabalho", acreditando que, se duas pessoas são "muito amiguinhas", elas terão pior desempenho no trabalho. Outras empresas fazem de tudo para que os intervalos ou os horários de almoço dos vendedores não coincidam, para que a eficiência no escritório seja a "máxima". Mesmo na universidade, que deveria ser o primeiro lugar a aplicar estudos científicos, muitos professores acreditam que devem separar os "grupinhos" para a realização de atividades ou trabalhos. Estas intuições fazem com que as equipes tenham piores resultados e sejam menos engajadas em seus trabalhos. Isto não significa que as pessoas não devam ser abertas para conhecer gente nova, ou que devam limitar suas relações apenas com as pessoas com quem se dão melhor; mas que depois de ter conhecido várias pessoas no ambiente de trabalho, é natural que elas se identifiquem mais com certos colegas e prefiram estar na companhia deles. Esta identificação é o que faz com que vendedores tenham mais prazer em trabalhar juntos e, consequentemente, obtenham melhores resultados em menos tempo.

Dada a importância da amizade no ambiente de trabalho, é também importante saber como estas grandes amizades começam. Patricia Sias e Daniel Cahill, pesquisadores da University of Washington e da University of Cincinnati, revelaram em seus estudos que grandes amizades no ambiente de trabalho começam por meio de conversas não relacionadas com o trabalho, migrando posteriormente para conversas sobre problemas pessoais e no ambiente de trabalho[14]. Por isto, passar o tempo livre na companhia de um colega de trabalho é tão importante. Um gestor de vendas que sabe que duas pessoas da equipe têm uma excelente relação tenta unir estas pessoas ainda mais. Este gestor as coloca em mesas próximas no escritório, faz com que o horário de almoço delas seja o mesmo e as incentiva a tirarem intervalos juntas ou, ainda, faz com que suas áreas de atendimento sejam próximas para que elas possam se encontrar frequentemente. Estas ações, por mais contrárias que pareçam, resultarão em grandes conquistas para a empresa.

A explicação da boa performance relacionada com a amizade tem relação com o fato de que quanto mais tempo duas ou mais pessoas passam juntas mais elas passam a se conhecer, mais elas passam a imitar umas às outras em suas maneiras de comunicar-se e, consequentemente, mais elas passam a gostar umas das outras. Este princípio, chamado de Similaridade, exposto mais uma vez pelo psicólogo Robert Cialdini, mostra que as pessoas preferem ser amigas, negociar e casar com pessoas que são parecidas com elas mesmas[15]. O convívio frequente entre duas ou mais pessoas faz principalmente com que os gestos e as palavras que elas usam sejam mais parecidos. A eficiência na comunicação que um nível de relacionamento como este traz é extremamente maior. Os pesquisadores James Pennebaker e Molly Ireland descobriram que os seres humanos tendem a se adaptar rapidamente aos estilos de linguagem com os quais têm contato, passando a imitar uns aos outros imediatamente[16]. Você já deve ter notado que quando precisa explicar algo para alguém com quem já tem uma grande amizade esta explicação é feita em pouco tempo. Muitas vezes, basta olhar para o seu amigo que ele entende o que você quer comunicar. Agora, você também deve ter notado quão difícil pode ser para uma pessoa que não te conhece entender exatamente o que você quer. O pouco tempo que você leva para explicar algo para um amigo torna-se uma eternidade para explicar a mesma coisa para uma pessoa com quem você não tem uma relação tão próxima. Isto significa que amizades aceleram as coisas: seja a comunicação ou o atingimento de metas.

Grandes amizades dentro do ambiente de trabalho geram grande eficiência.

LIBERDADE PARA RECONHECER

Em todas as oportunidades em que profiro uma palestra de motivação, no final do evento sempre vem alguém conversar comigo para me parabenizar pela palestra e, também, para dar a sua opinião sobre o que verdadeiramente motiva as pessoas. Estas pessoas, frequentemente, me dizem que reconhecimento é o que motiva os profissionais, porém, devemos ter um grande cuidado com este tipo de motivação. Como vimos anteriormente, existem dois tipos de motivação: a interna, ligada com a satisfação de realizar uma atividade e onde a conclusão da mesma é a própria recompensa; e a externa, que está ligada com incentivos financeiros, imagem, bens materiais e outros prêmios. Reconhecimento é um tipo de motivação externa, pois não é inerente à tarefa em si, mas, sim, a uma imagem de sucesso que as pessoas querem que as outras vejam nelas[17]. O estudo de Iwan Barankay nos mostra que reconhecimentos através de rankings não têm os efeitos esperados e o experimento de Ryan Howell e Paulina Pchelin revela que os bens materiais não motivam as pessoas da mesma forma que as experiências. De qualquer forma, nem todo tipo de reconhecimento é ruim. Reconhecimentos que não envolvem a competitividade por recursos limitados podem, sim, ser positivos.

As pesquisadoras Margaret Greenberg e Dana Arakawa, da University of Pennsylvania, descobriram, em um estudo, que equipes com gerentes que encorajavam seus funcionários com elogios obtinham resultados 31% melhores do que equipes com gerentes que mostravam pouco reconhecimento por elogios[18]. Mihaly Csikszentmihalyi também analisou que o estado de Fluxo pode ser atingido com mais facilidade sempre que o líder der feedback constante, outra forma de reconhecimento que não gera competição e incentiva o desenvolvimento pessoal[19]. Sempre que vamos dar feedback para alguém, não podemos nos esquecer da Linha de Losada: feedbacks devem ser muito mais positivos do que negativos.

Na segunda parte do livro, você conheceu os estudos de Lalin Anik, sobre o fato de que o ato de doar motiva o ser humano mais do que o de receber. A empresa americana Zappos.com usa esta descoberta de forma fantástica. Todo mês os funcionários da Zappos recebem 50,00 Zollars – a moeda oficial da empresa – para premiar seus próprios colegas cada vez que estes os ajudem de forma especial. Esta prática gerou uma onda de contribuição gigantesca dentro da empresa, sem falar nos benefícios motivacionais que dar "presentes" aos colegas gera. No final do mês, todos os funcionários podem trocar seus Zollars por prêmios tais como ingressos para cinema, podem doar o dinheiro para a caridade, entre outras opções[20]. Existem algumas regras neste programa, como, por exemplo, a de que os funcionários que não gastarem todo o seu dinheiro com os outros não podem ficar com o valor restante. Os grandes benefícios deste programa, porém, são que os funcionários da Zappos não se prendem ao conceito de que reconhecimento só acontece de cima para baixo na hierarquia, o que atualmente é visto como politicagem – para os funcionários, reconhecer as pessoas é algo obrigatório no trabalho do líder, o que faz com que as pessoas desconsiderem ou não levem muito a sério este tipo de "reconhecimento". Mas, quando as pessoas são reconhecidas por seus colegas, que estão sentados ao seu lado, que enfrentam as mesmas dificuldades diárias, que conhecem verdadeiramente seus trabalhos, o sentimento é outro. Outro benefício de mostrar reconhecer aos seus próprios colegas é o de que esta prática aumenta o número de feedbacks de forma exponencial, o que possibilita aos funcionários o atingimento do estado de Fluxo e aumenta o número de interações positivas no dia. As empresas devem ter mais consciência de que dar feedback não é papel exclusivo do líder.

Outro exemplo desta tendência é o número crescente de empresas que estão passando a utilizar ferramentas como o *SendLove*, que permitem que seus funcionários escrevam notas de agradecimento uns para os outros, sempre que forem ajudados[21]. Estas notas ficam disponíveis para todos os funcionários visualizarem, e isto causa um aumento enorme no espírito de equipe, na vontade de ajudar os outros e na percepção do impacto do trabalho de cada um.

Já a empresa francesa Valtech reconhece seus funcionários de forma nada convencional, porém, extremamente efetiva. A companhia possui um grande Elefante de Pelúcia que circula pelas mesas dos funcionários. Para receber o elefante, a pessoa deve ajudar um colega de trabalho de forma exemplar, ter alguma iniciativa diferente ou algo do gênero. O funcionário premiado com o elefante deve ficar com ele durante uma semana e, também, é o responsável por escolher quem será o próximo colega a ganhar o elefante como troféu. Uma vez com o elefante, é obrigatório que o funcionário o coloque num lugar onde todos possam ver e conte para as outras pessoas o motivo pelo qual o elefante está em sua mesa. Esta foi a forma que a Valtech encontrou para incentivar a colaboração entre os funcionários, além de espalhar de forma rápida e divertida quais são as melhores práticas dentro da companhia[22].

Sempre que existe liberdade entre os funcionários, para reconhecerem uns aos outros, os resultados positivos começam a aparecer de forma rápida. Como a área de vendas é um setor onde reina a competição, encontrar formas simples, divertidas e informativas de fazer com que um vendedor reconheça o trabalho do outro fará com que a competição comece a ficar de lado e a cooperação assuma o seu lugar. Num ambiente com metas globais, este tipo de prática terá um sucesso ainda maior.

CONCLUSÃO

A Ciência é clara no que diz respeito à liberdade no ambiente de trabalho. Abusar do controle faz os vendedores perderem a confiança na empresa, terem pior performance, serem menos criativos, trabalharem apenas pelo dinheiro, serem menos engajados e menos comprometidos com seus objetivos.

Deixar claro para os vendedores que a empresa confia neles, dar um tempo livre para eles criarem novos produtos ou serviços para a empresa, incentivar estes profissionais a tirarem intervalos frequentes na companhia de um colega e criar políticas em que um colega possa reconhecer o outro certamente irão trazer diversos benefícios para a empresa e seus clientes.

Como líder, é obrigatório que você se livre de conceitos ultrapassados de gestão, passe a confiar plenamente nas pessoas e pare de acreditar que está na sua posição porque é diferente dos outros.

Parte 3
RESUMO

- *Dom é algo irrelevante na área de vendas. Qualquer pessoa pode ser desenvolvida para se tornar um grande vendedor.*
- *Prática é mais importante do que predisposição genética. Dez mil horas de prática levam a excelência em vendas.*
- *O líder que faz com que o primeiro contato do vendedor com sua profissão seja divertido causa um aumento na motivação do vendedor, incentiva-o a praticar suas habilidades e faz com que ele alcance a excelência com mais facilidade.*
- *A inteligência das pessoas é flexível, não fixa. Todos podem ser melhores com o passar do tempo.*
- *Vendedores ambivertidos (nem muito extrovertidos nem muito introvertidos) são os que atingem melhores resultados.*
- *A forma como cada vendedor explica fatos negativos, no seu dia a dia, é um grande elemento previsor de vendas. Os que têm um Estilo Explanatório Otimista alcançam resultados superiores.*
- *Vendedores com perfil doador, aqueles que prestam favores sem esperar nada em troca, são os com melhor performance.*
- *Enfatizar aos vendedores que dinheiro é a única coisa que importa fará com que eles tenham vidas cada vez menos felizes.*
- *Mostrar aos vendedores o real impacto de seus trabalhos, fazendo com que eles tenham contato frequente com os clientes que se beneficiam dos produtos ou serviços que vendem, gera grande motivação e traz ótimos resultados.*
- *Todo vendedor deve ter um propósito na sua vida profissional para ser feliz.*
- *O Job Crafting é uma ferramenta fantástica para que o vendedor reescreva o significado de sua profissão.*
- *Para despertar o máximo de motivação nos vendedores, faça com que a missão da empresa tenha um propósito maior do que o simples faturamento.*
- *O Product/Service Crafting ajuda o vendedor a sentir qual é o propósito do produto ou do serviço que vende.*

• 86% dos jovens de hoje querem um trabalho que faça o mundo ser um lugar melhor. Mostre aos jovens vendedores qual é o propósito da profissão, do produto/serviço e da empresa.

• Trabalhos que têm o propósito de ajudar aos outros fazem com que as pessoas sejam 13% mais produtivas.

• Pare de inventar ferramentas para controlar os vendedores: dê liberdade.

• Empresas que tentam controlar todos os aspectos da vida do vendedor mostram para ele que não confiam no seu caráter e na sua honestidade, o que irá gerar pior performance.

• Empresas como a Best Buy conseguiram um aumento de 41% na produtividade e uma redução em 90% no turnover quando deixaram de controlar os seus funcionários e passaram a lhes dar liberdade.

• Empresas que dão autonomia aos seus funcionários crescem quatro vezes mais do que empresas muito controladoras e têm apenas um terço do turnover das mesmas.

• Tirar 17 minutos de intervalo a cada 52 minutos de trabalho faz com que as pessoas produzam mais.

• Intervalos frequentes fazem com que a mente inconsciente entre em ação e que problemas difíceis sejam resolvidos.

• Intervalos fora da mesa do trabalho, longe do celular e na companhia de um colega de trabalho aumentam a produtividade.

• Empresas que incentivam as amizades no ambiente de trabalho alcançam resultados muito superiores aos das que afastam as pessoas com boas relações.

• Grandes amizades no trabalho geram grande eficiência na comunicação e no atingimento de metas.

• Vendedores que podem reconhecer uns aos outros são mais unidos e motivados do que vendedores que recebem reconhecimento apenas dos superiores.

EPÍLOGO

Por volta do ano 350 a.C., Aristóteles desenvolveu argumentos muito convincentes de que a Terra era redonda. Antes de Aristóteles, existem histórias de que a descoberta, na verdade, havia sido feita por outros filósofos gregos, entre eles Pitágoras e Platão[1]. Nessa época, os argumentos de que a Terra era redonda eram desenvolvidos através da observação das estrelas, em navegações e outros tipos de viagem. Esta noção de que nosso planeta era redondo também foi registrada pelos romanos, indianos, chineses, entre outros.

Como você deve imaginar, quando Aristóteles afirmou que a Terra era redonda ao invés de plana, por mais convincentes que seus argumentos fossem, eles foram refutados. Histórias contam – e esta é a única parte do livro em que eu não consigo comprovar o que estou escrevendo – que Cristóvão Colombo teve grandes problemas para convencer outras pessoas a explorar o mundo com ele em embarcações, pois as pessoas acreditavam que o mundo era plano, que havia enormes quedas d'água no meio do caminho e que criaturas gigantescas, que poderiam devorar o navio inteiro, viviam no mar. E isto tudo aconteceu em 1492. Tudo bem que naquela época o Google e a Wikipedia estavam fora do ar, mas o conceito da Terra redonda já era uma realidade em quase todo o planeta.

Somente em 1522, o português Fernão de Magalhães e seu colega espanhol Juan Sebastián Elcano conseguiram fazer o mundo acreditar um pouco mais na ideia de que a Terra era redonda. Em 1519 eles saíram em cinco embarcações de Sevilha, na Espanha, atravessaram o Oceano Atlântico e o Pacífico, desembarcaram nas Filipinas (onde Magalhães foi morto numa batalha) e, finalmente, Elcano chegou novamente em Sevilha em 1522. Esta foi a primeira circum-navegação da história. Mais uma vez, os céticos da época encontraram uma forma de usar o Princípio da Consistência para desabonar a descoberta de que a Terra era redonda: ela podia ser cilíndrica[2].

O meu intuito ao contar esta pequena parte da história da Ciência é mostrar para você que sempre que uma ideia nova surge junto com ela surge também a resistência e o cinismo. Na sua missão como líder, na sua tarefa de convencer outros gestores e até mesmo os vendedores de que comissões geram pior resultado e menos felicidade, que doar motiva mais do que receber, que prêmios que geram experiência são melhores do que dinheiro ou bens materiais, que metas devem ser de dificuldade moderada e apuradas semanalmente, que atualmente é obrigatório para uma empresa ter um propósito maior do que o dinheiro ou que parar de controlar os vendedores trará resultados fantásticos não será nada fácil. Por mais que você mostre o artigo científico para as pessoas ou lhes diga que os autores do estudo são professores da Harvard, sempre haverá resistência. Mas não desista!

Eu escrevi este livro justamente porque eu não desisti da Ciência. Por mais que na minha carreira de executivo eu tenha encontrado enorme resistência para aplicar os diversos estudos apresentados aqui, eu tive sucesso em conseguir a aprovação de alguns, ainda que não exatamente da forma como eu queria. No momento em que eu não mais aguentei ter minhas ideias baseadas em comprovações científicas refutadas, comecei minha própria empresa. Nesta época, eram raros os livros disponíveis em português que uniam a Ciência e os negócios. Este livro é justamente o material que eu não tive para conseguir convencer meus superiores de que as estratégias científicas poderiam, sim, trazer resultados diferentes, que elas poderiam, sim, colocar as empresas onde trabalhei num lugar de destaque.

Entretanto, apenas saber da existência da Ciência não gera resultado algum. Para isto, a Ciência precisa ser vivenciada. Como alguém que procura vivenciar a Ciência há mais de uma década, posso afirmar que ela funciona de forma extraordinária. Aplico-a, diariamente, na minha vida pessoal e profissional. Uso técnicas comprovadas pela Ciência em cada abordagem comercial que faço, em cada palestra ou em cada treinamento que apresento, em cada conversa que tenho com as pessoas da minha família e, inclusive, na minha alimentação. Utilizar-me da Ciência é algo absolutamente natural para mim, eu a uso e nem percebo. Isto pode acontecer com você também.

Emagreci mais de 20 kg estudando o funcionamento do corpo humano e os efeitos dos alimentos na velocidade do metabolismo. Para resumir, quando dispensei minha nutricionista e passei a me alimentar baseado no que a Ciência comprova como saudável, o emagrecimento aconteceu naturalmente, em oito meses. Os mais incríveis fatos sobre minha dieta? Eu consumo muito mais do que as 2.000 calorias diárias sugeridas pelos "experts" em nutrição, como muita gordura, não tomo suplementos ou pílulas mágicas e faço apenas 20 minutos de exercício por semana. Todos os meus exames de saúde indicam que eu estou mais saudável do que nunca. É difícil acreditar e viver a Ciência quando muitas outras pessoas vivem e acreditam em uma realidade falsa. É preciso ter coragem para ser diferente, para remar contra a maré, porque os resultados de quem vive a Ciência acontecem exatamente da forma esperada, por mais contrários que os meios sugeridos pelos estudos pareçam.

Eu acredito que um dia muitas empresas irão tomar consciência de que estão gerenciando seu setor comercial de forma errada, de que tomar decisões com base em sabedoria popular ou *benchmarking* é um grande risco, de que assumir que o vendedor é motivado unicamente por dinheiro é um erro grave e que incentivar a competição dentro de uma equipe é um caminho perigoso. Eu acredito que um dia as empresas irão abrir os olhos para a Ciência e passar a traçar um caminho mais humano, de mais cooperação e felicidade.

Eu espero que você me ajude na missão de encurtar este caminho.

APÊNDICE

AS FERRAMENTAS DO GESTOR DE VENDAS CIENTÍFICO

Um gestor comercial que vive a Ciência das vendas deve ter as ferramentas certas para tomar as suas decisões. Este livro procura mostrar claramente que confiar nas ferramentas em que a maioria dos gestores confia para desenvolver suas estratégias de gestão de equipes tem riscos enormes e desnecessários nos dias de hoje.

Nesta breve parte do livro, gostaria de compartilhar algumas das minhas fontes preferidas de informação científica, não apenas relacionadas com vendas, mas também com outras áreas. Estas fontes podem ser muito benéficas para todos os tipos de profissionais.

Vale ressaltar que nem todo artigo científico está disponível gratuitamente online, porém, uma enorme quantidade pode ser encontrada facilmente. Artigos científicos são, sem dúvidas, a fonte de informação mais importante e confiável que um gestor pode ter. Estou certo de que esta parte do livro ajudará muitos profissionais a deixarem a "bola de cristal" de lado e passarem a consultar ferramentas mais atuais e eficientes.

AULAS DE INGLÊS

A chave para a porta de entrada do mundo da Ciência é feita com material em inglês. Sim, ter uma excelente noção da língua inglesa é algo obrigatório para um gestor que quer consultar artigos científicos para fundamentar suas decisões e estratégias.

Quando um aluno de graduação pede uma sugestão sobre o tipo de capacitação profissional que deve procurar logo após a sua formatura, a primeira pergunta que eu faço a ele é relacionada com o seu nível de inglês. Para os que dominam a língua, um mestrado ou uma especialização são excelentes opções. Já para os que não a dominam, o conselho que dou é que procurem uma escola de inglês. Pós-graduação muita gente tem; inglês fluente, poucos.

Muitos usam como desculpa para não estudar inglês o fato de que no seu trabalho ou na sua vida pessoal a língua não é exigida para conversas. Já ouvi diversos profissionais afirmando que não falam inglês porque não existem pessoas estrangeiras no seu local de trabalho ou porque não negociam com pessoas de outros países ou porque não têm amizades com pessoas de fora, como se o uso da língua fosse apenas para isto. Se as escolhas para desenvolver qualquer atividade fossem feitas desta forma, pouca gente faria musculação, pois apenas uma pequena parcela das pessoas trabalha levantando caixas ou qualquer outro tipo de peso.

Assim como na musculação, o objetivo de estudar inglês é outro. A língua inglesa sempre será mais utilizada para a leitura. Quem lê em inglês tem à sua disposição uma quantidade muito superior de materiais para pesquisa e fica mais bem inteirado das últimas tendências dos negócios em primeira mão: todas as principais pesquisas, livros, estratégias e inovações do mundo dos negócios são publicadas primeiramente em inglês. Na maioria dos casos, estes materiais não são traduzidos para o português.

No mundo da Ciência, não é diferente: todos os principais artigos científicos, das mais importantes universidades, são publicados em *journals* que usam a língua inglesa. Muitos pesquisadores brasileiros, inclusive, publicam somente em inglês. O alcance de uma publicação científica em português é muito pequeno, por isso, os pesquisadores brasileiros que querem ter uma relevância no mundo científico buscam publicar seus estudos na língua oficial da Ciência: o inglês.

Caso você não domine a língua inglesa, procure uma escola, hoje mesmo, na sua cidade. Atualmente, existem excelentes opções em quase todas as cidades do Brasil. Se houver professores nativos na escola ou professores brasileiros com longa vivência internacional, melhor ainda.

O profissional que fala apenas português ficará condenado a ter uma limitação de informações e conhecimentos, o que, fatalmente, fará com que haja uma estagnação na carreira.

GOOGLE ACADÊMICO

O Google Acadêmico é uma ferramenta excelente e acessível para qualquer pessoa, na busca de artigos científicos. Para visitá-lo, basta acessar https://scholar.google.com.br

Uma vantagem do Google Acadêmico é que, após digitar o assunto a ser pesquisado (em inglês), o Google ordena os artigos científicos por sua relevância, ou seja, você não precisa ficar vasculhando diversas páginas para encontrar um artigo de excelente qualidade. Outra forma de saber quais artigos são os mais relevantes é analisar a quantidade de citações que os mesmos têm. Logo abaixo da descrição do artigo, você irá encontrar, no canto esquerdo, a informação "Citado por", seguido de um número. Quanto maior o número de citações, maior a confiabilidade do estudo.

Em alguns casos, quando o assunto a ser pesquisado for muito abrangente, como, por exemplo, *"motivation"*, você precisará digitar novos termos para encontrar o que busca. Estes termos podem ser, por exemplo, *"motivation and financial incentives"*, *"motivation for factory workers"* e assim por diante. Quanto mais específica for a busca, melhor será a qualidade dos artigos encontrados. Caso saiba o nome exato do artigo científico, basta digitá-lo na barra de buscas e encontrar um site onde ele esteja disponível na íntegra.

Ao encontrar o artigo que procura, clique sempre no link do canto superior direito, logo após o nome do artigo, onde está escrito "[HTML] de" ou "[PDF] de". É clicando neste local que você, na maioria dos casos, irá conseguir acesso ao artigo. Se, ao invés de clicar neste local, você clicar no nome do estudo, muitas vezes você será direcionado para o site do *journal* onde o artigo foi publicado ou para um banco de artigos científicos, onde não conseguirá acesso ao artigo procurado. Vale lembrar que nem sempre o artigo está disponível gratuitamente. De qualquer forma, muitas vezes vale a pena comprá-lo.

Caso tenha curiosidade em saber quais são os *journals* mais relevantes do mundo científico, basta clicar ao lado do botão "minhas citações", no canto superior direito, num botão com o desenho de uma flecha apontando para baixo. Ao clicar neste botão, um menu irá aparecer, onde você deve clicar em "métricas". Ao fazer isto, uma nova página irá se abrir com uma lista ordenando os *journals* mais importantes de cada área. No canto esquerdo daquela página, você irá encontrar uma lista com várias categorias, como, por exemplo, "Ciências Sociais", "Negócios, Economia e Administração", entre outras. Ao clicar em qualquer categoria, logo abaixo do nome da categoria, irá surgir a opção "Subcategorias". Ao clicar neste link, você poderá ver os assuntos tratados nesta subcategoria e saber quais são os *journals* mais importantes em cada área específica.

A importância em saber o nome do journal onde o artigo foi publicado e a classificação do mesmo é que, infelizmente, existem alguns *journals* de péssima qualidade, que aceitam qualquer tipo de artigo. Um periódico com excelente reputação, como, por exemplo, o *"The New England Journal of Medicine"*, aceita apenas artigos de altíssima qualidade. A equipe deste tipo de *journal*, geralmente composta pelos principais pesquisadores da área, analisa todos os aspectos da pesquisa para descobrir se ela foi bem feita e se é confiável. Entre estes aspectos estão, por exemplo, o tamanho da amostra analisada, os métodos estatísticos utilizados, a metodologia da pesquisa, o período de tempo em que a pesquisa foi realizada, a localização geográfica dos indivíduos pesquisados, a qualidade do questionário utilizado para a pesquisa, entre inúmeros outros.

O fato de um artigo científico ter sido publicado num *journal* nem sempre significa que o artigo é confiável. Ao utilizar os critérios de avaliação descritos acima, você garante que a aplicação das descobertas feitas pelos pesquisadores terá grandes chances de funcionar dentro da sua vida pessoal ou profissional.

PERIÓDICOS CAPES

O portal de artigos científicos da Capes/MEC também é uma ferramenta de alta qualidade na busca de artigos científicos, porém, seu acesso é limitado. Muitas universidades, dependendo de sua classificação pelo MEC, recebem o benefício de ter acesso completo à ferramenta. Nestes casos, o acesso ao portal dentro da universidade, utilizando os computadores ou o IP da mesma, permite que os alunos ou visitantes da universidade possam utilizar a ferramenta de forma completa.

De qualquer modo, mesmo com acesso limitado, o portal permite ao usuário a leitura de muitos artigos científicos. Visite www.periodicos.capes.gov.br para conhecer a ferramenta.

FACEBOOK

Muitas vezes, condenado como um "sequestrador de produtividade", o Facebook pode ser uma excelente fonte de informações científicas para os gestores, se bem utilizado. Atualmente, muitas universidades, pesquisadores, *journals* e revistas usam esta rede social para divulgar seus trabalhos. Um dos benefícios de acessar o FB para encontrar pesquisas científicas é que o gestor terá acesso às mais recentes descobertas em primeira mão, afinal, muitos pesquisadores compartilham seus últimos trabalhos através desta rede. Outro benefício é que o FB é uma excelente maneira de ter acesso a todos os conteúdos de seu interesse num único local, sem que você precise ficar navegando em diversos outros sites para encontrar informações, o que economiza muito tempo.

Uma mudança importante na forma como seu *feed* de notícias aparece, porém, deve ser feita. Existe uma maneira de dar preferência a certas publicações, para que elas apareçam no topo de seu *feed*. Esta também é uma forma interessante de evitar a leitura de *posts* inconvenientes, negativos, irrelevantes ou fúteis que muitas pessoas insistem em publicar.

Abaixo, segue uma breve lista das minhas páginas preferidas:

Fast Company, Inc. Magazine, Harvard Business Review, The Atlantic, Forbes, Science of us, Psychology Today, Pacific Standard, Success Magazine, Scientific American MIND, Science News Magazine, News From Science, New Scientist, Wired, Brain Pickings, Happier.tv, The Guardian, The Huffington Post, Adam Grant, Daniel Pink, Dan Ariely, Eric Barker (Bakadesuyo), Tom Rath, Shawn Achor, Michele Gielan, Tal Ben-Shahar, Mihaly Csikszentmihalyi, Daniel Goleman, Team Robert Cialdini, The Fuqua School of Business (Duke University), Harvard Business School, Yale School of Management, Haas School of Business (UC Berkeley), Stanford University, London Business School, University of Pennsylvania, MIT Sloan School of Management, Kellogg School of Management, Booth School of Business (University of Chicago), The Wharton School, Knowledge@Wharton Network.

O Facebook sempre sugere algumas páginas relacionadas com as que você curtiu, para que possa segui-las. Como existem muitas fontes de informação atualmente, vale a pena conhecer algumas destas páginas para analisar se o conteúdo delas é válido.

Sempre que possível, eu posto notícias relacionadas com Ciência e negócios na minha *fan page* do FB. Para os que não dominam o inglês, muitas vezes, faço um resumo em português das descobertas de diversos estudos. Para curtir minha *fan page*, basta acessar: www.facebook.com/luiz.gaziri

TWITTER

Não tão discriminado pelos gestores como o Facebook, o Twitter também é uma forma inteligente de descobrir as novidades do mundo da ciência. A vantagem do Twitter é que, como os *tweets* podem ter apenas 140 caracteres, as pessoas que os publicam têm de ser muito diretas. Isto possibilita que o usuário do Twitter possa ler diversas notícias de forma extremamente rápida.

Eu uso tanto o Twitter quanto o Facebook, como jornais. No Twitter, você pode seguir as mesmas pessoas, revistas e instituições que eu sugeri para o Facebook, mas a grande vantagem desta ferramenta é que muitos pesquisadores que não usam o Facebook usam o Twitter: casos de Ryan Howell (@SpendingWell) e Amy Wrzesniewski (@AmyWrzesniewski), que foram citados neste livro.

Aconselho fortemente a criação de uma conta no Twitter para os que ainda não a têm. Entre em www.twitter.com e não deixe de seguir @luizgaziricom.

FAST COMPANY

A melhor revista de negócios que existe, na minha humilde opinião, é a *Fast Company*. Esta revista cobre diversos assuntos de uma maneira muito direta e, quase sempre, apresenta uma visão científica das matérias. A FC também é uma ótima fonte para descobrir quais são as empresas mais inovadoras do mundo, as *startups* que estão revolucionando seus mercados, bem como, quais são as pessoas mais inovadoras e ousadas do mercado.

Para os que têm preconceito com revistas de negócios, pois, infelizmente, a maioria das revistas brasileiras tem matérias para lá de cansativas e, muitas vezes, são apenas matérias pagas pelas empresas para serem publicadas, a *Fast Company* será uma grata surpresa. As matérias da FC são escritas de forma leve e até irreverente e têm leitura muito agradável.

Vale muito assinar a Fast Company na sua versão digital. A *newsletter* da revista também é excelente e pode ser segmentada de acordo com os seus interesses. Acesse www.fastcompany.com e descubra o que verdadeiramente é uma revista de negócios.

NEWSLETTERS

Outra forma de ter acesso às mais novas descobertas científicas é assinar as *newsletters* de alguns pesquisadores. Muitas vezes, estes pesquisadores não escrevem apenas sobre suas próprias pesquisas, eles também divulgam o trabalho de outros pesquisadores: uma forma interessante de conhecer novos profissionais e aumentar sua rede de informações científicas.

Minhas *newsletters* preferidas são as do Adam Grant e Daniel Pink. Caso você tenha gostado de alguma pesquisa citada neste livro, você pode procurar o site do pesquisador e verificar se ele publica algum tipo de *newsletter*, aliás, com um pouco de dedicação, você pode procurar o site de todos os pesquisadores citados no livro e assinar suas *newsletters*.

Vale lembrar que muitos pesquisadores renomados não têm perfis no Facebook ou Twitter, portanto, suas *newsletters* são a única forma de ter acesso em primeira mão aos mais recentes artigos que os mesmos publicaram.

Sem regularidade, eu publico uma *newsletter* com diversos estudos sobre vendas, liderança, marketing, psicologia positiva, felicidade e outros assuntos. Para assinar a minha *newsletter*, basta acessar www.luizgaziri.com

LIVROS

Um gestor nunca deve ter preguiça de ler. Livros são uma forma maravilhosa de aprender coisas novas, de crescer pessoalmente e de ter mais sucesso profissional. Além disso, ler é uma maneira incrível de relaxar, de ter um tempo só seu. Quem não lê, fica para trás.

Vários pesquisadores citados nesta obra possuem livros maravilhosos e de leitura extremamente agradável. Infelizmente, muitos destes livros não têm versões em português, por este motivo, saber inglês é uma grande vantagem competitiva para um gestor. Ter acesso a materiais que poucos conseguem ler é um diferencial enorme.

Hoje em dia, comprar livros, principalmente *eBooks*, tornou-se tarefa fácil. Particularmente, gosto de ler no aplicativo Kindle, da Amazon. Tenho preferência por comprar livros no site da Amazon.com (sem o ".br"), pelo motivo de conseguir encontrar qualquer título que eu procure, diferentemente de outros sites, principalmente brasileiros, que têm uma disponibilidade limitada de títulos.

Preferências comerciais de lado, o importante é estar disposto a ler livros de alta qualidade e ganhar o máximo de conhecimentos para construir estratégias comerciais de forma segura.

TED TALKS

Muita gente conhece o TED, mas poucos usam o site do evento como uma ferramenta de aprendizagem. Diversos pesquisadores citados nesta obra já fizeram Ted Talks que foram acessados por milhares (às vezes milhões) de pessoas.

A grande sacada do TED é que os vídeos são sempre curtos e apresentam lições extremamente valiosas. Da mesma forma que um *tweet* deve ser direto, um palestrante do TED também deve apresentar um conteúdo sem "enrolações".

A vantagem de acessar os vídeos diretamente no site www.ted.com é que todas as palestras têm legendas em português disponível, algo que facilita a vida dos que ainda não falam inglês, mas que já fizeram sua matrícula numa escola há alguns minutos.

O momento de abundância de informações em que vivemos torna fácil que qualquer pessoa transmita suas opiniões, principalmente online, e consiga um grande alcance. Se não soubermos filtrar informações de qualidade, corremos o risco de aplicar estratégias que irão colocar nossas empresas e nossas carreiras em perigo. Um gestor inteligente foge de opiniões e estratégias que não têm base científica.

As ferramentas apresentadas acima são extremamente valiosas para os gestores que querem separar opiniões de comprovações. Ao utilizar estas ferramentas, o gestor científico passará a percorrer um caminho mais seguro, a distanciar-se das tempestades e a seguir rumo a dias cada vez mais ensolarados.

REFERÊNCIAS BIBLIOGRÁFICAS

PRÓLOGO

1. Técnicas antigas da medicina: http://www.history.com/news/history-lists/7-unusual-ancient-medical-techniques

2. Expectativa de vida do brasileiro: http://noticias.uol.com.br/cotidiano/ultimas-noticias/2014/12/01/expectativa-de-vida-do-brasileiro-sobe-para-749-anos-aponta-ibge.htm

3. Artigos científicos são lidos em média por 10 pessoas: http://www.straitstimes.com/opinion/prof-no-one-is-reading-you

4. Os termos mais usados pelas empresas para se autodefinir: http://www.adamsherk.com/public-relations/most-overused-press-release-buzzwords/

5. Não existe relação entre colesterol e doença cardíaca: Krumholz, H. M., Seeman, T. E., Merrill, S. S., de Leon, C. F. M., Vaccarino, V., Silverman, D. I., ... & Berkman, L. F. (1994). Lack of association between cholesterol and coronary heart disease mortality and morbidity and all-cause mortality in persons older than 70 years. Jama, 272(17), 1335-1340.
Schatz, I. J., Masaki, K., Yano, K., Chen, R., Rodriguez, B. L., & Curb, J. D. (2001). Cholesterol and all-cause mortality in elderly people from the Honolulu Heart Program: a cohort study. The Lancet, 358(9279), 351-355.
Barter, P., Gotto, A. M., LaRosa, J. C., Maroni, J., Szarek, M., Grundy, S. M., ... & Fruchart, J. C. (2007). HDL cholesterol, very low levels of LDL cholesterol, and cardiovascular events. New England Journal of Medicine, 357(13), 1301-1310.

6. Comer gorduras saudáveis não engorda - http://drhyman.com/blog/2013/11/26/fat-make-fat/

7. Estilo de vida é mais importante do que genética: Veerman JL. On the futility of screening for genes that make you fat. PLoS Med. 2011 Nov;8(11):e1001114. Epub 2011 Nov 1.

http://www.hsph.harvard.edu/obesity-prevention-source/obesity-causes/genes-and-obesity/

8. Qualidade de calorias é mais importante do que quantidade: David S. Ludwig, MD, PhD; Cara B. Ebbeling, PhD; Henry A. Feldman, PhD. Dietary Composition During Weight-Loss Maintenance - Reply - JAMA. 2012;308(11):1087. doi:10.1001/2012.jama.11620

http://news.harvard.edu/gazette/story/2012/06/when-a-calorie-is-not-just-a-calorie/

http://drhyman.com/blog/2014/04/10/calories-dont-matter/

9. Cialdini, Robert B.; Trost, Melanie R.; Newsom, Jason T. Preference for consistency: The development of a valid measure and the discovery of surprising behavioral implications. Journal of Personality and Social Psychology, Vol 69(2), Aug 1995, 318-328.

10. Deutsch, Morton; Gerard, Harold B. A study of normative and informational social influences upon individual judgment. The Journal of Abnormal and Social Psychology, Vol 51(3), Nov 1955, 629-636

http://web.comhem.se/u52239948/08/deutsch55.pdf

11. Gazzaniga, Michael S. The Social Brain: Discovering the networks of the mind. Basic Books. July 1987.

Elizabeth A. Phelps, Michael S. Gazzaniga. Hemispheric differences in mnemonic processing: The effects of left hemisphere interpretation. Neuropsychologia, Volume 30, Issue 3, March 1992, Pages 293-297

PARTE 1 - CAPÍTULO 1

1. Ariely, D., Gneezy, U., Loewenstein, G., & Mazar, N. (2009). Large stakes and big mistakes. The Review of Economic Studies, 76(2), 451-469.

2. Harlow, H. F., Harlow, M. K., & Meyer, D. R. (1950). Learning motivated by a manipulation drive. Journal of Experimental Psychology, 40(2), 228.

3. Gneezy, U., & Rustichini, A. (2000). Pay enough or don't pay at all. Quarterly journal of economics, 791-810.

4. Pagamento atrelado à produtividade fazia as pessoas produzirem mais: https://en.wikipedia.org/wiki/Frederick_Winslow_Taylor

https://en.wikipedia.org/wiki/Henry_Ford

5. Pfeffer, J. (1977). The ambiguity of leadership. Academy of management review 2.1: 104-112.

6. Deci, E. L., Koestner, R., & Ryan, R. M. (1999). A meta-analytic review of experiments examining the effects of extrinsic rewards on intrinsic motivation. Psychological bulletin, 125(6), 627.

7. Harlow, H. F., Harlow, M. K., & Meyer, D. R. (1950). Learning motivated by a manipulation drive. Journal of Experimental Psychology, 40(2), 228

8. Upton Sinclair. I, Candidate for Governor: And How I Got Licked. University of California Press (December 16, 1994)

CAPÍTULO 2

1. Deci, E. L. (1971). Effects of externally mediated rewards on intrinsic motivation. Journal of personality and Social Psychology, 18(1), 105.

2. Harlow, H. F., Harlow, M. K., & Meyer, D. R. (1950). Learning motivated by a manipulation drive. Journal of Experimental Psychology, 40(2), 228.

3. Programa nos hospitais de veteranos do exército americano. http://edition.cnn.com/2014/06/03/opinion/gino-bonuses-promote-cheating/

4. Mazar, N., Amir, O., & Ariely, D. (2008). The dishonesty of honest people: A theory of self-concept maintenance. Journal of marketing research, 45(6), 633-644.

5. Gino, F., & Pierce, L. (2009). The abundance effect: Unethical behavior in the presence of wealth. Organizational Behavior and Human Decision Processes, 109(2), 142-155.

6. Pfeffer, J., & Langton, N. (1993). The effect of wage dispersion on satisfaction, productivity, and working collaboratively: Evidence from college and university faculty. Administrative Science Quarterly, 382-407.

7. Brosnan, S. F., & De Waal, F. B. (2003). Monkeys reject unequal pay. Nature, 425(6955), 297-299.

8. Sorensen, G., Landsbergis, P., Hammer, L., Amick III, B. C., Linnan, L., Yancey, A., ... & Pratt, C. (2011). Preventing chronic disease in the workplace: a workshop report and recommendations. American journal of public health, 101(S1), S196-S207.

9. Vohs, K. D., Mead, N. L., & Goode, M. R. (2006). The psychological consequences of money. Science, 314(5802), 1154-1156.

10. O Efeito Tetris - https://en.wikipedia.org/wiki/Tetris_effect

11. Pesquisa da Serasa - http://economia.uol.com.br/noticias/redacao/2013/06/07/sete-em-cada-dez-brasileiros-nao-fazem-poupanca-mostra-pesquisa.htm

12. Glucksberg, S. (1962). The influence of strength of drive on functional fixedness and perceptual recognition. Journal of Experimental Psychology, 63(1), 36.

13. Duncker, K., & Lees, L. S. (1945). On problem-solving. Psychological monographs, 58(5), i.

14. Fixação Funcional - http://psychology.about.com/od/problemsolving/f/functional-fixedness.htm

CAPÍTULO 3

1. Fredrickson, B. L., Grewen, K. M., Coffey, K. A., Algoe, S. B., Firestine, A. M., Arevalo, J. M., ... & Cole, S. W. (2013). A functional genomic perspective on human well-being. Proceedings of the National Academy of Sciences, 110(33), 13684-13689.

2. Rotatividade de pessoas no Brasil - http://www.brasil.gov.br/economia-e-emprego/2014/03/mte-discute-a-rotatividade-no-mercado-de-trabalho-brasileiro

3. Cortando comissões na RedGate - https://www.red-gate.com/blog/red-gate-stopped-paying-commission-sales-people-part-1-background

https://www.red-gate.com/blog/stopped-paying-commission-sales-people-part-2-taking-step-back-tooting-whistle

https://www.red-gate.com/blog/stopped-paying-commission-sales-people-part-3-paying-commission-actually-improve-sales-organisation

https://www.red-gate.com/blog/red-gate-stopped-paying-commission-sales-people-part-4-still-convinced

4. Salários na Gravity Payments - http://www.inc.com/magazine/201511/paul-keegan/does-more-pay-mean-more-growth.html

5. Felicidade vem antes do sucesso - https://www.psychologytoday.com/blog/the-happiness-advantage/201108/5-ways-turn-happiness-advantage

6. Harlow, H. F., Harlow, M. K., & Meyer, D. R. (1950). Learning motivated by a manipulation drive. Journal of Experimental Psychology, 40(2), 228.

7. Kasser, T., & Ryan, R. M. (1996). Further examining the American dream: Differential correlates of intrinsic and extrinsic goals. Personality and Social Psychology Bulletin, (22), 280-287.

8. Bexton, W. H., Heron, W., & Scott, T. H. (1954). Effects of decreased variation in the sensory environment. Canadian Journal of Psychology/Revue canadienne de psychologie, 8(2), 70.

9. Experiência de compra responsável por 53% da fidelização - https://www.cebglobal.com/exbd/sales-service/challenger/b2b-loyalty-drivers/index.page

10. Ser contratado na Zappos é mais difícil que ser admitido na Harvard - https://hbr.org/2014/01/zappos-ceo-on-using-corporate-relocation-to-preserve-customer-led-culture

11. Zappos, melhor atendimento ao cliente - https://www.internetretailer.com/2010/03/22/zappos-customer-service-draws-raves-in-a-new-report
http://www.businessinsider.com/zappos-customer-service-crm-2012-1

12. Entrevista Tony Hsieh - http://www.theguardian.com/sustainable-business/zappos-ceo-tony-hsieh

13. Berger, J. (2014). Word of mouth and interpersonal communication: A review and directions for future research. Journal of Consumer Psychology, 24(4), 586-607.

14. Apenas 10% das indicações de produto acontecem na internet - http://www.kellerfay.com/what-drives-online-vs-offline-word-of-mouth-major-differences-revealed-in-new-academic-study/

15. 90% das propagandas de televisão são ignoradas - http://www.fastcoexist.com/3030833/can-advertising-save-the-world

16. Cialdini, R. B. (1987). Influence. A. Michel.

PARTE 2 - CAPÍTULO 4

1. Howell, R. T., Pchelin, P., & Iyer, R. (2012). The preference for experiences over possessions: Measurement and construct validation of the Experiential Buying Tendency Scale. The Journal of Positive Psychology, 7(1), 57-71.

2. Ladley, D., Wilkinson, I., & Young, L. (2015). The impact of individual versus group rewards on work group performance and cooperation: A computational social science approach. Journal of Business Research.

3. Brosnan, S. F., & De Waal, F. B. (2003). Monkeys reject unequal pay. Nature, 425(6955), 297-299.

4. Skinner, B. F., & Ferster, C. B. (2015). Schedules of reinforcement. BF Skinner Foundation.

5. Carver, J. M. (2005). Emotional memory management: Positive control over your memory. Burn Survivors Throughout the World Inc.

6. Sparks, K., Faragher, B., & Cooper, C. L. (2001). Well-being and occupational health in

the 21st century workplace. Journal of occupational and organizational psychology, 74(4), 489-509.

http://www.telegraph.co.uk/finance/businessclub/management-advice/9350419/Think-tank-freedom-not-pay-is-best-motivation.html

7. Anik, L., Aknin, L. B., Norton, M. I., Dunn, E. W., & Quoidbach, J. (2013). Prosocial bonuses increase employee satisfaction and team performance. PloS one, 8(9), e75509.

8. Dunn, E. W., Aknin, L. B., & Norton, M. I. (2008). Spending money on others promotes happiness. Science, 319(5870), 1687-1688.

9. Thoits, P. A., & Hewitt, L. N. (2001). Volunteer work and well-being. Journal of health and social behavior, 115-131.

10. Brooks, A. C. (2007). Does giving make us prosperous? Journal of Economics and Finance, 31(3), 403-411.

CAPÍTULO 5

1. Programa nos hospitais de veteranos do exército americano. http://edition.cnn.com/2014/06/03/opinion/gino-bonuses-promote-cheating/

2. Norma da Reciprocidade. https://en.wikipedia.org/wiki/Norm_of_reciprocity

3. Kahneman, D., Knetsch, J. L., & Thaler, R. H. (1986). Fairness and the assumptions of economics. Journal of business, S285-S300.

4. Sheldon, K. M., & Kasser, T. (1998). Pursuing personal goals: Skills enable progress, but not all progress is beneficial. Personality and Social Psychology Bulletin, 24(12), 1319-1331.

5. Carder, B., & Berkowitz, K. (1970). Rats' preference for earned in comparison with free food. Science, 167(3922), 1273-1274.

6. Csikszentmihalyi, M., & Csikszentmihaly, M. (1991). Flow: The psychology of optimal experience (Vol. 41). New York: HarperPerennial.

7. Locke, E. A. (2002). Setting goals for life and happiness. Handbook of positive psychology, 522, 299-312.

8. Cialdini, Robert B.; Trost, Melanie R.; Newsom, Jason T. Preference for consistency: The development of a valid measure and the discovery of surprising behavioral implications. Journal of Personality and Social Psychology, Vol 69(2), Aug 1995, 318-328.

9. Kasser, T., & Ryan, R. M. (1996). Further examining the American dream: Differential correlates of intrinsic and extrinsic goals. Personality and Social Psychology Bulletin, (22), 280-287.

10. Sheldon, K. M., & Elliot, A. J. (1999). Goal striving, need satisfaction, and longitudinal well-being: the self-concordance model. Journal of personality and social psychology, 76(3), 482.

11. Ordóñez, L. D., Schweitzer, M. E., Galinsky, A. D., & Bazerman, M. H. (2009). Goals gone wild: The systematic side effects of overprescribing goal setting. The Academy of Management Perspectives, 23(1), 6-16.

12. Abramson, L. Y., Garber, J., & Seligman, M. E. (1980). Learned helplessness in humans: An attributional analysis. Human helplessness: Theory and applications, 3, 34.

13. Hiroto, D. S. (1974). Locus of control and learned helplessness. Journal of experimental psychology, 102(2), 187.

14. Blackwell, L. S., Trzesniewski, K. H., & Dweck, C. S. (2007). Implicit theories of intelligence predict achievement across an adolescent transition: A longitudinal study and an intervention. Child development, 78(1), 246-263.

15. Dweck, C. S. (2000). Self-theories: Their role in motivation, personality, and development. Psychology Press.

16. Syme, S. L., & Balfour, J. L. (1997). Explaining inequalities in coronary heart disease. The Lancet, 350(9073), 231-232.

17. Kleingeld, A., van Mierlo, H., & Arends, L. (2011). The effect of goal setting on group performance: a meta-analysis. Journal of Applied Psychology, 96(6), 1289.

18. Ladley, D., Wilkinson, I., & Young, L. (2015). The impact of individual versus group rewards on work group performance and cooperation: A computational social science approach. Journal of Business Research.

19. O Ponto X - http://www.nydailynews.com/sports/more-sports/new-york-city-marathon-approaches-readers-runners-collapse-point-race-article-1.970440

20. O Ponto X e os negócios - http://www.success.com/article/the-x-spot

21. Hull, C. L. (1932). The goal-gradient hypothesis and maze learning. Psychological Review, 39(1), 25.

22. Kivetz, R., Urminsky, O., & Zheng, Y. (2006). The goal-gradient hypothesis resurrected: Purchase acceleration, illusionary goal progress, and customer retention. Journal of Marketing Research, 43(1), 39-58.

23. Nunes, J. C., & Drèze, X. (2006). The endowed progress effect: How artificial advancement increases effort. Journal of Consumer Research, 32(4), 504-512.

24. Fredrickson, B. L., & Losada, M. F. (2005). Positive affect and the complex dynamics of human flourishing. American Psychologist, 60(7), 678.

25. Fredrickson, B. L. (2001). The role of positive emotions in positive psychology: The broaden-and-build theory of positive emotions. American psychologist, 56(3), 218.

26. Glaser, J. E. & Glaser, R. D. (2014, June 12). The neurochemistry of positive conversations. Harvard Business Review.

27. Ibid

28. Achor, S. (2011). The happiness advantage: The seven principles of positive psychology that fuel success and performance at work. Random House.

Seligman, M. E. (2002). Authentic happiness: Using the new positive psychology to realize your potential for lasting fulfillment.

29. Iyengar, S. S., & Lepper, M. R. (2000). When choice is demotivating: Can one desire too much of a good thing? Journal of personality and social psychology, 79(6), 995.

CAPÍTULO 6

1. Barankay, I. (2012). Rank incentives: Evidence from a randomized workplace experiment. Discussion papers.

2. Ibid

3. Triplett, N. (1898). The dynamogenic factors in pacemaking and competition. The American journal of psychology, 9(4), 507-533.

4. Zajonc, R. B., Heingartner, A., & Herman, E. M. (1969). Social enhancement and impairment of performance in the cockroach. Journal of Personality and Social Psychology, 13(2), 83.

5. Doenças relacionadas ao estresse - http://www.medicinenet.com/stress/related-conditions/index.htm

6. Ross, M., & Sicoly, F. (1979). Egocentric biases in availability and attribution. Journal of personality and social psychology, 37(3), 322.

7. Pfeffer, J., & Sutton, R. I. (2006). Hard facts, dangerous half-truths, and total nonsense: Profiting from evidence-based management. Harvard Business Press.

8. Norton, M. I., Mochon, D., & Ariely, D. (2011). The 'IKEA effect': When labor leads to love. Harvard Business School Marketing Unit Working Paper, (11-091).

9. Cialdini, R. B. (1987). Influence. A. Michel.

PARTE 3 - CAPÍTULO 7

1. Collins, J. C. (2001). Good to great: Why some companies make the leap... and others don't. Random House.

2. Ericsson, K. A., Krampe, R. T., & Tesch-Römer, C. (1993). The role of deliberate practice in the acquisition of expert performance. Psychological review, 100(3), 363.

3. Bloom, B. S., & Sosniak, L. A. (1985). Developing talent in young people. Ballantine Books.

4. Amabile, T., & Kramer, S. (2011). The progress principle: Using small wins to ignite joy, engagement, and creativity at work. Harvard Business Press.

5. Grant, A. M. (2013). Rethinking the Extraverted Sales Ideal The Ambivert Advantage. Psychological science, 24(6), 1024-1030.

6. Estilo Explanatório - https://en.wikipedia.org/wiki/Explanatory_style

7. Achor, S. (2011). The happiness advantage: The seven principles of positive psychology that fuel success and performance at work. Random House.

8. Seligman, M. E., Nolen-Hoeksema, S., Thornton, N., & Thornton, K. M. (1990). Explanatory style as a mechanism of disappointing athletic performance. Psychological Science, 1(2), 143-146.

9. Scheier, M. F., Matthews, K. A., Owens, J. F., Magovern, G. J., Lefebvre, R. C., Abbott, R. A., & Carver, C. S. (1989). Dispositional optimism and recovery from coronary artery bypass surgery: the beneficial effects on physical and psychological well-being. Journal of personality and social psychology, 57(6), 1024.

10. Seligman, M. E., & Schulman, P. (1986). Explanatory style as a predictor of productivity and quitting among life insurance sales agents. Journal of personality and social psychology, 50(4), 832.

11. Grant, A. (2013). Give and take: A revolutionary approach to success. Hachette UK.

12. Ibid

CAPÍTULO 8

1. Esteira Hedônica - http://positivepsychologyprogram.com/hedonic-treadmill/

2. Corretor de imóveis que doou ação judicial para caridade - http://www.bandab.com.br/jornalismo/trabalhador-da-rmc-abre-mao-de-r-150-mil-por-acordo-com-doacao-instituicao-de-caridade/

3. Grant, A. M., Campbell, E. M., Chen, G., Cottone, K., Lapedis, D., & Lee, K. (2007). Impact and the art of motivation maintenance: The effects of contact with beneficiaries on persistence behavior. Organizational Behavior and Human Decision Processes, 103(1), 53-67.

4. Funcionários da GE conhecem sobreviventes ao câncer - http://newsroom.gehealthcare.com/human-impact-of-our-work/

5. Vídeos de clientes do Wells Fargo - https://www.wellsfargo.com/about/press/2014/20140501_wellsfargo-works-for-small-business/

6. Turner, Y., & Hadas-Halpern, I. (2008, December). The effects of including a patient's photograph to the radiographic examination. In Radiological Society of North America scientific assembly and annual meeting. Oak Brook, Ill: Radiological Society of North America (Vol. 576).

7. 51% dos trabalhadores americanos desengajados - http://www.gallup.com/poll/181289/majority-employees-not-engaged-despite-gains-2014.aspx

8. Rath, T., & Harter, J. (2010). The economics of wellbeing. Gallup Press.

9. Wrzesniewski, A., McCauley, C., Rozin, P., & Schwartz, B. (1997). Jobs, careers, and callings: People's relations to their work. Journal of research in personality, 31(1), 21-33.

10. Wrzesniewski, A., & Dutton, J. E. (2001). Crafting a job: Revisioning employees as active crafters of their work. Academy of Management Review, 26(2), 179-201.

11. Doações da TOMS Shoes - http://www.toms.com/what-we-give-shoes

12. Aknin, L. B., Barrington-Leigh, C. P., Dunn, E. W., Helliwell, J. F., Burns, J., Biswas-Diener, R., ... & Norton, M. I. (2013). Prosocial spending and well-being: Cross-cultural evidence for a psychological universal. Journal of Personality and Social Psychology, 104(4), 635.

13. The Clark University Poll of Emerging Adults 2012 - http://www.clarku.edu/clark-poll-emerging-adults/pdfs/clark-university-poll-emerging-adults-findings.pdf

14. Tonin, M., & Vlassopoulos, M. (2014). Corporate Philanthropy and Productivity: Evidence from an Online Real Effort Experiment. Management Science.

CAPÍTULO 9

1. Engajamento no trabalho - http://www.gallup.com/poll/181289/majority-employees-not-engaged-despite-gains-2014.aspx

2. Pink, D. H. (2011). Drive: The surprising truth about what motivates us. Penguin.

3. Ressler, C., & Thompson, J. (2008). Why work sucks and how to fix it: No schedules, no meetings, no joke - The simple change that can make your job terrific. Penguin.

4. Resultados da Best Buy com ROWE - http://www.slate.com/articles/business/psychology_of_management/2014/05/best_buy_s_rowe_experiment_can_results_only_work_environments_actually_be.2.html

5. Baard, P. P., Deci, E. L., & Ryan, R. M. (2004). Intrinsic Need Satisfaction: A Motivational Basis of Performance and Weil-Being in Two Work Settings1. Journal of Applied Social Psychology, 34(10), 2045-2068.

6. Trabalhar por 52 minutos descansar por 17 - https://www.themuse.com/advice/the-rule-of-52-and-17-its-random-but-it-ups-your-productivity

7. Blog da Desktime - http://blog.desktime.com/2014/08/20/the-secret-of-the-10-most-productive-people-breaking/

8. Ericsson, K. A., Krampe, R. T., & Tesch-Römer, C. (1993). The role of deliberate practice in the acquisition of expert performance. Psychological review, 100(3), 363.

9. Einstein e a torre do relógio em Berna - http://www.pbs.org/wgbh/nova/physics/theory-behind-equation.html

10. Zhong, C. B., Dijksterhuis, A., & Galinsky, A. D. (2008). The merits of unconscious thought in creativity. Psychological Science, 19(9), 912-918.

11. Blog da Desktime - http://blog.desktime.com/2014/08/20/the-secret-of-the-10-most-productive-people-breaking/

12. Rath, T. (2006). Vital friends: The people you can't afford to live without. Gallup Press.

13. Jehn, K. A., & Shah, P. P. (1997). Interpersonal relationships and task performance: An examination of mediation processes in friendship and acquaintance groups. Journal of Personality and Social Psychology, 72(4), 775.

14. Sias, P. M., & Cahill, D. J. (1998). From coworkers to friends: The development of peer friendships in the workplace. Western Journal of Communication (includes Communication Reports), 62(3), 273-299.

15. Cialdini, R. B. (1987). Influence. A. Michel.

16. Ireland, M. E., & Pennebaker, J. W. (2010). Language style matching in writing: synchrony in essays, correspondence, and poetry. Journal of personality and social psychology, 99(3), 549.

17. Kasser, T., & Ryan, R. M. (1996). Further examining the American dream: Differential correlates of intrinsic and extrinsic goals. Personality and Social Psychology Bulletin, (22), 280-287.

18. Greenberg, M. H. M., & Arakawa, D. (2006). Optimistic Managers & Their Influence on Productivity & Employee Engagement in a Technology Organization. Master of Applied Positive Psychology (MAPP) Capstone Projects, 3.

19. Csikszentmihalyi, M., & Csikszentmihaly, M. (1991). Flow: The psychology of optimal experience (Vol. 41). New York: HarperPerennial.

20. Reconhecimento na Zappos - http://www.zapposinsights.com/blog/item/four-peertopeer-ways-zappos-employees-reward-each-other

21. Ferramenta de reconhecimento SendLove - https://sendlove.us/trial/index.php

22. Elefante da Valtech - http://www.9inchmarketing.com/2013/02/27/employee-recognition-lets-talk-about-the-elephant-in-the-room-valtech_fr/

EPÍLOGO

1. Aristóteles e a Terra Redonda - https://en.wikipedia.org/wiki/Spherical_Earth

2. Fernão de Magalhães - https://en.wikipedia.org/wiki/Ferdinand_Magellan